UN SECRET
SANS IMPORTANCE

Peut-être devons-nous commencer par présenter Émile Hortchak : docteur en linguistique, vieux garçon séducteur, cynique, et secrètement amoureux de sa voisine, Violette. Nous pouvons aussi commencer par son meilleur ami, Dan Jabrowski, avec son cortège d'enfants, de petits-enfants, de soucis – ou par Gabriel Schwartz, jeune homme résolu qui enregistre à leur insu les conversations des clients de bistrots ou des jeunes mères, dans les squares. Gabriel est le protégé de Dan, il rêve de rencontrer Émile, et son secret à lui – le secret de sa naissance et de la disparition de sa mère – le pousse à découvrir le monde.

Mais ce sont les femmes qui, dans ce récit qui n'est pas sans rappeler l'univers du *Manhattan* de Woody Allen, mènent le bal ; Sonia, épouse de Dan Jabrowski, figure effacée qui est la seule à pressentir le secret de chacun ; Harriett Houghton, jeune américaine spécialiste de philosophie mais qui, pour l'heure, travaille comme secrétaire ; Violette Opass, enfin, qui formule, au début du livre, ce constat énigmatique : *« À présent, il y en a davantage sous la terre que dessus. »*

Il faut encore compter avec les absents ; un jeune homme disparu durant la guerre de Kippour ; une jeune femme, Irina, qui se trouve à la croisée des chemins ; un grand-père dont l'accent yiddish ne s'est pas émoussé après cinquante ans de vie parisienne.

« Il y a des nuits, écrit Agnès Desarthe, où la magie et l'horreur quittent les livres de contes pour aller tourbillonner dans les rues et sur les chemins. Il suffit d'une fenêtre entrouverte pour qu'elles se glissent chez les gens. » Entre ces différents êtres, des liens se nouent peu à peu, coups de foudre, amitiés, retrouvailles retardées durant plus de vingt ans ; et ces liens, parce qu'ils mettent en jeu un « secret sans importance », ont tous l'apparence d'un miracle.

Agnès Desarthe est née à Paris en 1966. Elle a publié de nombreux livres pour la jeunesse et traduit l'œuvre d'Alice Thomas Ellis en français. Après un premier roman remarqué, Quelques minutes de bonheur absolu *(1993), elle s'impose comme une des voix les plus fortes du jeune roman français.*

Agnès Desarthe

UN SECRET
SANS IMPORTANCE

ROMAN

Éditions de l'Olivier

L'auteur remercie la fondation Hachette

TEXTE INTÉGRAL

ISBN 2-02-031559-9
(ISBN 2-87929-074-0, 1re édition)

© Éditions de l'Olivier / Éditions du Seuil, 1996

À mon grand-père,
Boris Jampolski.

Chacun pense avoir un secret. Pour certains, c'est une douleur, pour d'autres, une joie. C'est toutefois sans importance, car, un jour ou l'autre, une main indifférente, tombée mollement du ciel, les moissonnera.

1

En entrant chez les Jabrowski, Émile Hortchak fut saisi à la gorge par l'odeur d'oignons frits. Dan se tenait devant lui, les bras grands ouverts. Il lui parut plus petit et plus ridé que d'habitude. Sonia, sa femme, était assise au salon, les mains croisées sur les genoux, le visage baissé, comme si elle cherchait une épingle à cheveux tombée sur le tapis.

— Entre, vieux frère ! s'exclama Dan avec un enthousiasme déplacé.

Émile ne bougea pas.

Les bras de Dan retombèrent le long de son petit torse maigre.

— Qu'est-ce qui se passe ? demanda-t-il. Ne reste pas planté comme ça à la porte.

Sonia leva la tête et se pencha légèrement de côté pour voir ce qui se passait dans l'entrée.

— Le docteur Hortchak est frappé de paralysie, fit Dan. Appelle le Samu.

— Ça sent l'oignon ! déclara Émile, sur le ton que

d'autres avant lui avaient adopté pour dire « Ça sent la chair fraîche. »

Dan lui prit le bras et le fit pénétrer dans le pavillon en murmurant :

— *Kotletki*, mon vieux. Exprès pour toi. Sonia est un peu fatiguée, alors c'est moi qui ai coupé les oignons. Je n'avais pas pleuré comme ça depuis cinquante-trois ans.

Lorsque les deux amis entrèrent au salon, Sonia ne se leva pas. Émile se pencha vers elle pour la saluer et elle baissa les yeux de nouveau.

— Mes hommages, madame Jabrowski, lui dit-il en s'inclinant.

Elle agita la main distraitement, comme elle l'aurait fait pour éloigner en douceur un enfant trop turbulent.

— Qu'est-ce que tu bois ? demanda Dan en posant les mains sur les épaules de son ami, qui le dépassait d'une bonne tête.

— Comme toi, répondit Émile.

— La théière est pleine, dit Jabrowski en se dirigeant vers la cuisine.

Émile eut une moue dégoûtée et se laissa tomber dans un fauteuil face à Sonia.

— Citron ? cria Dan depuis la cuisine.

Émile hocha la tête sans se rendre compte que, de là où il était, Jabrowski ne pouvait pas le voir. Il aurait aimé pouvoir engager poliment la conversation avec Sonia, mais il n'avait pas la moindre idée de ce qui aurait pu intéresser une femme comme elle. Les mains toujours croisées sur les genoux, elle le regardait sans sourire. Ses yeux noirs en amande, bordés de longs cils, exprimaient un mélange de lassitude, de douceur et d'espièglerie qui terrifiait Émile.

Chaque fois qu'il s'était retrouvé seul avec elle, il avait éprouvé une gêne semblable. Il se souvenait parfaitement de leur première rencontre. Ils étaient tout jeunes à l'époque, et Hortchak avait été affreusement choqué lorsque Dan lui avait présenté sa fiancée : une petite juive pieuse, portant perruque et fichu, les jambes cachées, quelle que fût la saison, par d'épais bas blancs. Elle n'avait pas ouvert la bouche, le regard serein et loyal. Au café, Hortchak avait confié à son ami qu'il trouvait sa future femme d'une grande beauté. Dan avait éclaté de rire. « Ne te force pas », avait-il dit. « Tu ne peux pas comprendre. » Ils avaient bien vite changé de sujet et la blessure qu'avait ressentie Hortchak à cet instant ne s'était jamais refermée.

Lorsque Dan revint avec un plateau chargé de tasses, son invité ne put réprimer un soupir de soulagement.

— Alors, comment ça va à l'Institut ? demanda Jabrowski en versant le thé.

— Point mort, répondit Émile. J'attends les résultats d'une enquête sur les aphasiques de plus de soixante ans. Il y a eu une panne d'informatique qui nous a complètement mis dedans...

Sonia s'était levée et, sans dire un mot, s'était dirigée vers la penderie pour prendre son manteau. Dan fit un signe à son ami pour l'engager à continuer sans faire attention.

— On organise une fête pour les cinquante ans de l'intendante, et tout le monde a l'air plus préoccupé par le nombre d'assiettes en papier à acheter que par quoi que ce soit d'autre. Vous viendrez ? dit soudain Émile, un ton au-dessus, comme si sa question s'adressait en priorité à Sonia.

— Avec plaisir, répondit-elle d'une voix tranquille, avant de refermer la porte sur les deux hommes.

Sonia marcha longtemps, les bras serrés autour de son corps. Chacune de ses articulations la faisait souffrir, son cœur était fatigué. En passant devant le jardin public, elle posa une main sur sa joue et sourit aux enfants qui couraient après les pigeons en fouettant l'air de leurs petits bras engoncés dans leurs manches d'anorak. Elle poussa la grille et alla s'asseoir sur un banc. À côté d'elle, deux jeunes mamans discutaient en fumant des cigarettes. Elle agita la main devant son visage pour dissiper la fumée qui lui piquait les yeux. Les jeunes femmes ne réagirent pas. L'une disait à l'autre qu'elle ne se sentait plus comme avant. Elle regrettait sa liberté, l'époque où le temps ne lui était pas compté. « Parfois, disait-elle, je pourrais jeter Julien par la fenêtre, c'est affreux. — Non, c'est normal, lui disait l'autre, je crois que nous avons toutes une relation de haine-amour à nos enfants. » Sonia avala de travers et toussota. « Je suis contente de m'être mariée, poursuivit la première. En un sens, ça me rassure, mais je crois que j'ai besoin d'avoir une aventure, je crois que c'est vraiment le moment. » Son amie hocha vigoureusement la tête en inhalant la fumée. « Complètement, je suis complètement d'accord avec toi, lui répondit-elle. Mon corps a assez souffert comme ça, je sens que j'ai vraiment besoin de me retrouver. J'adore Denis, ce n'est pas le problème, mais... Je peux te dire un secret. » Elle se mit à glousser.

À cet instant, le petit Julien trébucha sur un caillou, s'étala de tout son long et se mit à hurler. Sonia se leva aussitôt du banc pour voler à son secours, mais la jeune mère fut plus rapide. Elle ramassa son petit garçon en lui passant les bras sous la tête et les genoux et le fit tourner dans les airs. Lorsqu'elle vint se rasseoir sur le banc, elle fit comprendre à Sonia qu'elle avait besoin de plus de place pour étendre son petit blessé. Sonia sourit à l'enfant, dont les joues roses étaient striées de larmes grises. « Pigeon », lui dit-il. Elle hocha la tête et rentra chez elle, soulagée. Elle n'avait plus grand-chose à faire sur terre.

Assis sur un banc à quelques mètres de là, Gabriel Schwartz orientait son micro au mieux pour capter les paroles des badauds sans toutefois se faire remarquer. Il tenait beaucoup à la spontanéité des énoncés qu'il récoltait ainsi. Lorsqu'il avait déterminé l'intitulé de sa thèse, *Opérations énonciatives sous-jacentes aux mal-entendus*, il avait aussitôt senti le poids de la mission qu'il s'était assignée à lui-même. Il baissait la tête pour masquer le magnétophone et gardait toujours une main devant son visage. Incognito, se disait-il. Comme un espion, il aurait voulu se fondre au décor. Il savait aussi que, s'il relevait le front, il ne pourrait s'empêcher de regarder les deux jeunes mamans. Il ne fallait pas. On regarde une jeune mère, on se délecte des sourires sans fin qu'elle distribue à son bambin, on admire sa douceur, on frémit à ses maladresses, et on se met à la suivre autour du pâté de maisons en détaillant ses hanches. Si seulement elles avaient pu disparaître, emportées par un coup de vent.

Il devait prendre une décision et il se connaissait assez pour savoir que la moindre distraction lui offrirait un prétexte merveilleux pour repousser le moment du choix. Si le moineau qui picorait à ses pieds s'envolait dans moins de trois secondes, il irait téléphoner à son directeur de thèse. Il compta en remuant les orteils à l'intérieur de sa chaussure, espérant que les vibrations effaroucheraient le petit oiseau. À quatre – et Dieu sait pourtant qu'il avait fait durer les secondes –, le moineau s'obstinait toujours à fouiller les gravillons, à la recherche de nourriture. Gabriel tapa soudain du pied et une tribu de pigeons qui s'étaient joints à leur petit cousin s'envolèrent dans un fracas d'ailes pour trouver refuge dans le platane. Gabriel secoua la tête. Tant pis pour la thèse, il irait chez son grand-père à la place. Il enroula le fil du micro, sortit la cassette et inscrivit au stylo sur la bande de papier : *Square, deux femmes, deux enfants, une mamie.*

Lorsque Gabriel avait quitté son grand-père pour vivre seul, le vieillard avait fait la grève de la faim. « À quoi ça t'avance ? lui avait dit Gabriel. Je ne reviendrai pas. Tu ne me feras pas revenir en me faisant du chantage. – Moi, je fais du chantage ? » avait répondu le vieil homme, dont l'accent yiddish ne s'était pas émoussé après cinquante ans de vie parisienne. « C'est qui qui a commencé avec le chantage ? Si je ne prends pas une chambre, je ne finirai pas ma thèse, si je ne finis pas ma thèse, je vais devenir un clochard, parce que je ne sais rien faire d'autre... Moi, je fais du chantage ? » Gabriel avait donné un coup de pied dans une chaise de cuisine, qui avait volé à travers la pièce avant de retomber sur le carrelage dans un bruit de ferraille. « La violence... » avait murmuré son grand-père en allumant sa pipe. « La violence, c'est tout ce que vous connaissez ? Irina, ta mère, elle était pareille exactement. Tu m'écoutes ? Ta mère, elle était exactement comme ça, et sa mère avant elle. La graine de la violence. Le jour de notre mariage, Rebecca m'a cassé une assiette sur la tête parce que je lui avais manqué de respect. Pas comme tu penses. Elle m'a cassé une assiette sur la tête parce que je l'ai appelée *ma petite biquette*. "Voilà de quel bois je me chauffe", elle a dit en m'ouvrant le crâne. C'est ça, le mauvais sang, le visage d'un ange et la tête d'une vipère. Pareil exactement. Rebecca, Irina, et maintenant toi. Fais attention, petit », avait ajouté le vieillard en se levant péniblement, l'œil noir et la mâchoire tendue, « la violence engendre la violence. Elles sont mortes, et moi, je suis toujours là ! » s'était-il écrié en se plantant au milieu de la cuisine. Des larmes roulaient dans sa barbe. Gabriel l'avait pris par les épaules et l'avait serré contre lui. « Je ne mourrai jamais, tu m'entends, jamais. Alors, tu manges ? » Le vieillard s'était rassis et avait partagé un plat de harengs gras avec son petit-fils en reniflant de temps en temps.

À présent, Gabriel lui rendait visite trois fois par

semaine. Il lui faisait ses courses et son ménage, il repassait ses chemises et réparait ses lunettes. Plusieurs fois, il l'avait invité dans son studio, mais le vieil homme secouait la tête obstinément. « Je veux pas voir ton fatras », disait-il. La chambre de Gabriel était admirablement rangée, le plancher luisait et sentait bon la cire, les lavabos étaient récurés à l'eau de Javel, le réfrigérateur était empli de bocaux de cornichons au sel, alignés sur deux rangées parfaites comme un bataillon de soldats prêts pour l'inspection.

En poussant la porte du jardin de son grand-père, où il avait passé des heures, étant petit, à labourer la terre à la recherche d'un trésor, il se promit d'appeler son directeur de thèse le lendemain sans faute.

2

Les talons s'enfonçant dans le terreau humide, Violette pensa : *À présent, il y en a davantage sous la terre
que dessus.* Elle regarda les bulbes d'iris avec tristesse. Il
en restait trois dans la bassine en fer. Il aurait fallu les
planter en ligne, à côté des autres, mais Violette était
fatiguée, surprise aussi d'être si chagrinée, si désolée,
parce qu'il y avait treize bulbes d'iris sous la terre et que
chacun d'eux était comme un enfant mort-né. Elle
s'essuya soigneusement les mains dans son tablier, qu'elle
déposa sur la bassine afin de protéger du froid ses futures
plantations, et rentra chez elle par la cuisine. Il fallait se
convaincre que la tombée du jour n'était pas une catastrophe. Une catastrophe ne se reproduit pas toutes les
vingt-quatre heures.

Elle regarda quelques instants le téléphone, le supplia
silencieusement de sonner, puis le rangea dans un tiroir.
Elle retira ses chaussures et entra dans la salle de bains.
En coiffant ses épais cheveux noirs, elle se demanda ce
qui la rendait si triste à chaque fois qu'elle rentrait de
chez son chiropracteur. Tout s'était passé comme d'habi-

tude. Elle s'était déshabillée dans le petit réduit au fond à droite du cabinet et s'était allongée sur la table, les yeux fixés au plafond.

« Comment ça va, aujourd'hui ? demandait-il.

— Bien, répondait-elle.

— Pas de tensions, pas de migraines ? »

Elle secouait la tête. Il lui massait les cervicales du bout des doigts et parfois posait sa paume à plat au sommet de son crâne. Elle sentait qu'il aurait voulu parler. Elle aurait sans doute mieux fait de lui raconter n'importe quoi plutôt que de rester muette. Le jour de leur première séance, il lui avait dit d'une voix très douce :

« C'est curieux, vous avez un corps d'enfant. »

Elle n'avait rien répondu.

« Ça ne vous gêne pas que je vous dise ça ? »

Elle avait secoué la tête.

« Je parle en professionnel, bien sûr. Je ne veux pas dire que vous n'avez pas de formes. »

Il avait ri à ces mots et Violette avait fermé les yeux.

« C'est votre peau. Vous avez une peau de petite fille, incroyablement lisse. Vous voyez ce que je veux dire. »

Violette était tétanisée. Ses doigts s'étaient agrippés au bord du matelas, ses orteils s'étaient crispés. Elle n'avait rien pu répondre. La seule chose qui lui venait à l'esprit était que lui aussi avait l'air d'un garçonnet. C'était si curieux de l'appeler « Docteur Fabre » et de l'entendre répondre « Madame Opass ». C'était bête en vérité, et triste aussi. Ces conventions, ça ne donnait pas envie d'être malade. Elle décida qu'elle était en parfaite santé et se consola en se disant qu'elle annulerait la prochaine séance.

À cet instant, le téléphone sonna. Le tiroir dans lequel il était rangé faisait caisse de résonance, et la sonnerie, amplifiée par l'écho, la fit sursauter. Elle se précipita vers la commode, sortit l'appareil de sa cachette et décrocha, hors d'haleine.

— Service de psychiatrie de l'hôpital Berthollet, à l'appareil.

— Oui ?

— Madame Opass ?

— C'est moi.

— Le professeur Vitrier désire savoir si l'infirmière est passée chez vous aujourd'hui.

— Non, pas aujourd'hui.

— Vous n'êtes pas sortie ?

— Si, bien sûr.

— Madame Opass, combien de fois faudra-t-il que je vous répète qu'il ne faut pas vous fatiguer ?

Violette baissa la tête et sentit son menton trembler.

— Je suis allée chez le kiné.

— Vous savez qu'il peut venir chez vous ? Vous avez le droit d'exiger ça, dans votre état.

Quel état ? se demanda Violette. Mais il était inutile de discuter avec la secrétaire de Vitrier, elle avait autant d'esprit qu'un lombric.

— Voulez-vous que je vous envoie quelqu'un ? reprit la secrétaire.

— Non, ça ira.

— Et vos cachets, vous allez prendre vos cachets ?

— Oui.

— Promis ? Nous avons beaucoup de problèmes avec la nouvelle, Véronique, celle qui devait venir chez vous. Il faut nous prévenir quand elle ne vient pas. D'accord ?

— D'accord. Je peux dire un mot au professeur Vitrier ?

— Ah, je crains qu'il ne soit trop occupé en ce moment.

— Bon, alors dites-lui bonjour de ma part.

Violette raccrocha et se prit la tête dans les mains. Pourquoi se laissait-elle traiter ainsi par cette idiote de secrétaire ? Elle était jeune, elle avait toute la vie devant elle. Le professeur Vitrier n'arrêtait pas de le lui dire pendant son séjour à l'hôpital.

L'ambulance était venue la chercher à peine quelques heures après l'enterrement. Violette ne s'y attendait pas du tout. Au cimetière, elle avait sauté à pieds joints dans la tombe de sa mère, mais lorsque son cousin l'avait giflée, elle était aussitôt revenue à elle et s'était excusée.

« Un moment de folie, avait-elle dit en souriant à l'infirmier assis à côté d'elle dans la voiture.

— Tout le monde en a, avait-il répondu en hochant la tête plusieurs fois. »

Pendant le trajet, il avait joué aux cartes avec elle et elle avait gagné trois parties sur quatre. Malheureusement, une fois arrivée à l'hôpital, elle ne l'avait plus jamais revu.

Violette rangea le téléphone dans le tiroir et prit la boîte de comprimés qui se trouvait juste à côté. Elle s'en versa deux dans la main et lança le premier en l'air. La bouche grande ouverte, elle essaya de le rattraper au vol. Le cachet tomba sur son menton, puis sur le sol. Elle lança le deuxième, qui alla rejoindre l'autre sur le carrelage, juste au pied de la table. Elle savait ce qui se passerait si elle ne les avalait pas. Un jour, elle avait oublié de les prendre. La nuit, elle avait fait des rêves affreux, merveilleusement affreux, et lorsqu'elle s'était réveillée, sa conscience était si nette qu'elle en avait été comme étourdie. Elle avait posé les mains sur son visage et le contact de ses paumes contre ses joues l'avait emplie d'ivresse. Elle renaissait. Bien sûr, ensuite, il lui fallait se débrouiller avec ce que les docteurs appelaient « son délire ». Elle commençait à y prendre goût. Il lui suffisait de s'allonger et une voix lui parlait à l'oreille. Si seulement elle parvenait à chasser la peur, elle savait qu'elle accéderait à des délices oubliées depuis de longs mois.

Vitrier lui avait dit : « Il faut chasser ces pensées de votre esprit. Vous avez fait tout ce que vous pouviez pour votre mère. Vous n'avez rien à regretter. » Quel mal y a-t-il à se souvenir ? « C'est une maladie, Violette. Il faut arrêter de penser au passé. Le passé, c'est la mort. Il faut vous tourner vers la vie. » Mais il était si difficile de penser à l'avenir. Comment faire lorsqu'on n'a aucune image en tête ? C'était décourageant. Et, au bout de l'avenir, n'y avait-il pas aussi la mort ? Elle savait bien qu'avant d'avoir été au monde il y avait eu une sorte de néant, mais ce néant n'était pas celui de la mort, il s'effilochait doucement. Lorsqu'on essayait de suivre le fil en remontant dans le temps, on finissait inévitablement par le perdre. Il n'y avait pas d'avant, ni d'après, plutôt un moment indéfinissable comme celui de l'endormissement.

Dans son lit, elle étendit bras et jambes, comme pour chasser les fantômes qui auraient pu se cacher entre les draps. Sa famille, les voisins, tout le monde lui avait déconseillé de rester dans le pavillon de sa mère. Pour elle, c'était un soulagement. Elle ne s'était jamais habituée à dormir seule et préférait de loin rencontrer, dans ses cauchemars, le corps froid et sec de la vieille femme à présent inoffensive, plutôt que d'être bercée pendant son sommeil par le souvenir de la peau chaude et tendre de son jeune époux, et de s'éveiller au matin, le cœur plein de rage et d'amertume à la pensée qu'il lui avait été si tôt arraché.

Ce fut la sonnette de la porte d'entrée qui l'éveilla. Machinalement, elle saisit son réveil et plissa les paupières pour parvenir à lire les chiffres rouges qui se détachaient sur le petit cadran noir. Neuf heures. Sans prendre le temps de s'étirer, elle enfila ses pantoufles et traversa la cuisine.

— Qui est-ce ? cria-t-elle.

— Le pape, répondit la silhouette qui se dessinait en ombre chinoise de l'autre côté du verre dépoli.

— Je vous préviens, je suis encore en chemise de nuit, dit Violette en posant la main sur la poignée.

— Je ferme les yeux.

Violette ouvrit la porte à son voisin. Émile Hortchak se tenait au garde-à-vous, les paupières closes.

— Repos, dit-elle.

Il fit un pas en avant, les yeux toujours fermés.

– Bonjour, chère voisine, dit-il en détachant chaque syllabe.

Violette se détourna, le laissant se débrouiller en aveugle dans la cuisine, qu'il connaissait par cœur. Chaque matin, depuis un mois, il venait prendre le café avec elle à neuf heures précises. C'était un rituel qui s'était instauré tacitement. La première fois, Hortchak s'était arrêté devant le grillage qui séparait le jardin de Violette de la rue, surpris de voir une si jeune femme bêcher la terre comme une sauvage. Jusqu'alors, il n'avait aperçu, derrière la haie, que la silhouette peu avenante d'une dame âgée, marchant la tête baissée entre les arbrisseaux et les maigres massifs de fleurs. Violette avait levé la tête et son regard avait croisé celui d'Émile. « Ça marche, le jardinage ? » avait-il demandé bêtement. « Oui », avait-elle répondu, légèrement essoufflée. « Enfin, non, pas trop. La terre est complètement sèche, j'ai un mal fou à creuser. » Violette avait passé la main sur son front. Ses joues étaient rouges et ses cheveux noirs dessinaient un halo autour de son visage enfantin. Hortchak l'avait trouvée jolie et lui avait proposé de l'aider.

Elle avait cru pendant quelque temps qu'il était envoyé par l'hôpital Berthollet ; une sorte d'espion à la solde de l'ennemi. C'était un cultivateur exécrable et, bien vite, le jardinage avait cédé la place à de longues séances de bavardage. N'y avait-il pas écrit sur la petite plaque dorée à l'entrée de son pavillon qu'il était docteur ? « Docteur, oui, mais docteur en linguistique », lui avait-il précisé au cours d'un de leurs petits déjeuners.

« Un docteur, c'est un docteur », lui avait-elle répondu sèchement, « et je m'y connais ! »

Émile trouva une chaise à tâtons et s'installa près de la table.

— Alors, ce café, aubergiste, ça vient ? dit-il en soulevant sa paupière droite de quelques millimètres.

Contrôle de routine, se dit-il pour se pardonner à lui-même son indiscrétion. Violette lui tournait le dos. Sa chemise de nuit découvrait son épaule droite. Sa nuque dorée plongeait sous une masse de cheveux noirs ramassés en chignon flou. De dos, on aurait dit une fillette de treize ans ; lorsqu'elle se retournait, ses traits ne démentaient pas la première impression, seule une minuscule ride traçait un sillon presque invisible de sa narine à la commissure de ses lèvres, du côté gauche de son visage. Hortchak aurait tout donné pour questionner cette ligne. « De quelle blessure es-tu la cicatrice ? » aurait-il murmuré en suivant le dessin du bout des doigts. Je n'ai pas perdu au change, se dit-il en pensant à la grosse bonne femme sévère qui avait été sa voisine pendant les dix dernières années. Comment était-il possible qu'un bahut de campagne eût donné naissance à cette mignonne pendulette de collectionneur ? La génétique n'était décidément pas sa tasse de thé.

— Monsieur Hortchak, dit-elle d'une voix ferme, je dois vous demander une faveur.

— Tout ce que vous voudrez, chère enfant.

— Jurez-moi de garder les yeux fermés jusqu'à ce que j'aille mettre ma robe de chambre.

– Je ne suis plus un gamin, Violette.

– Justement, c'est bien le problème.

Émile Hortchak sourit. Il aimait cette façon qu'elle avait de le maltraiter, de lui parler comme à un petit garçon, alors qu'il aurait pu – non, n'exagérons rien, il n'aurait pas pu être son père. Il était, comme on dit, dans la force de l'âge mais se considérait néanmoins à égale distance entre l'adolescent et le vieillard. Prenant avec une délectation inattendue une attitude qu'il n'avait pas adoptée depuis près de quarante ans, il posa les mains sur ses paupières et s'écria :

– Je ne vois plus rien, même pas la lumière.

Violette haussa les épaules. Tandis qu'elle ouvrait et refermait son armoire, Émile Hortchak, les mains toujours sur les yeux, s'interrogeait. Quelque chose chez cette jeune femme avait le don de rendre aux années d'enfance un parfum que, pour sa part, il n'avait jamais goûté. Il avait ardemment désiré devenir un homme. Très tôt, il avait commencé à inspecter son menton, à la recherche du premier poil qui le ferait accéder à ce qu'il estimait être son véritable rôle dans la vie, celui du *Mensh*. L'annonce de la puberté avait été pour lui la première perspective de salut. Les portes de la vie s'ouvraient. Il avait rangé ses jouets dans un carton, l'avait scellé en gaspillant des mètres de ficelle et à sa mère qui lui avait demandé « Et tes petits frères alors ? » il avait répondu « Tais-toi, femme », ce qui lui avait valu la première et la dernière gifle de sa vie. Il avait pardonné ce geste aussitôt : sa génitrice éprouvait des difficultés légitimes à concevoir que son petit bébé n'était plus celui qu'elle croyait. Il ne lui en avait pas voulu non plus lorsque, le soir même, elle avait noué une serviette de table autour de son cou, « pour pas salir avec la soupe », car il savait que le combat d'un homme pour accéder à sa condition est souterrain et solitaire.

Émile avait pris quelques résolutions déterminantes : ne pas courir dans la rue, ne pas sauter non plus, incliner poliment la tête au lieu d'agiter la main pour dire bonjour et au revoir ; nouvelles habitudes qui eurent l'avantage de ravir sa mère, pour qui il était enfin devenu un petit garçon bien élevé. Endurci par sa nouvelle ligne de conduite, il signait et contresignait chaque jour le même pacte ; à l'inverse du docteur Faust vendant son âme éternelle pour une journée de jeunesse, il aurait consenti à brader la sienne pour quelques secondes de maturité.

Jusqu'à sa rencontre avec Violette, il n'avait jamais éprouvé le besoin de revenir là-dessus. L'enfant qu'il avait été reposait dans un cimetière à l'odeur aigre de draps malencontreusement souillés pendant la nuit et de gâteau au fromage blanc. Adolescent, il s'était plongé dans les livres, enfouissant ses traits encore trop juvéniles à son goût dans des colonnes de lettres et de chiffres. Voici, à l'époque, comment il se voyait et comment il aurait voulu paraître au monde entier : un grand corps vêtu d'un costume sombre de croque-mort, surmonté, selon l'humeur, d'un dictionnaire en deux volumes ou d'un traité de mathématiques ; l'homme à la tête de livre.

Plus tard, grâce sans doute à cette dizaine d'années passées à concurrencer les plus racornis des rats de bibliothèque, il avait obtenu sans aucun mal le poste de chercheur qu'il convoitait. Lorsqu'il n'était pas à l'Institut, il aimait voguer d'une femme à l'autre sans trop d'affectation ni de dégâts, calquant chacune de ses expériences sur celle de son dépucelage, effectué avec une technique parfaite par Évelyne, une amie de la famille. Après que le père d'Émile eut déserté le foyer conjugal, cette femme dévouée s'était mis en tête de trouver pour son amie, Zelda Hortchak, un monsieur bien sous tous rapports qui l'aurait aidée à élever sa ribambelle de garçonnets. Évelyne, que tout le monde appelait Vévé, passait tous ses mercredis après-midi chez les Hortchak, proposant presque chaque semaine un nouveau postulant à Zelda, qui, pudibonde jusque dans sa façon de garder son tablier noué autour de sa taille du matin au soir, baissait les yeux en secouant la tête avec un sourire piteux. Vévé était divorcée. Son mari était parti en Amérique et avait oublié de la faire venir, expliquait-elle. À quarante-quatre ans, elle était assez ronde et joufflue pour en paraître dix de moins. Elle n'était pas jolie : nez trop large à la racine, yeux rapprochés comme s'ils avaient essayé de gagner du terrain sur le cartilage qui les séparait, bouche un peu fine qui donnait l'impression d'avoir été empruntée à un autre visage ; mais, malgré ça, elle avait un grain de peau admirablement fin, des cheveux brillants et indomptables et un petit air de femme d'expérience qui aidèrent Émile à se décider lorsqu'un mercredi où sa mère avait dû s'absenter, Vévé lui proposa d'aller se promener.

Ils n'avaient pas échangé un mot pendant le trajet qui séparait l'appartement des Hortchak de la maison d'Évelyne. Elle savait à qui elle avait affaire : un beau garçon intelligent et pressé qui n'avait pas besoin de cajoleries. Arrivée chez elle, elle le conduisit dans la cuisine, l'assit sur une chaise et, tout en lui souriant, s'installa à califourchon sur lui sans prendre la peine d'ôter le moindre vêtement.

Émile avait été fasciné par cette efficacité : aucune perte de temps, maximum de profit tiré de l'habillement moderne (glissières, élastiques, etc.), absence de paroles, aucune trace de la gêne qu'il avait eu peur d'éprouver face à un corps nu. Sa mère n'en avait rien su et les mercredis avaient continué de se suivre, sans que Vévé réitère une seule fois son offre. Elle estimait avoir vraiment fait tout ce qu'elle pouvait pour cette famille.

Les paupières d'Émile commençaient à fourmiller. Lorsque Violette passa la porte, vêtue d'un pull à col roulé et d'un pantalon de velours brun, elle vit qu'il avait les yeux grands ouverts.

— Vous n'avez pas tenu votre promesse, lui reprocha-t-elle.

— En entendant la porte, j'ai simplement pensé que vous aviez terminé.

— J'aurais pu avoir oublié quelque chose, dit-elle d'une voix soupçonneuse.

— Alors je vous aurais vue en chemise de nuit et je n'en serais pas mort.

— Vous non, moi oui.

— On ne meurt pas comme ça, dit-il, regrettant aussitôt ses paroles, parce qu'il savait que la mère de Violette était morte comme ça, à soixante ans, debout dans sa cuisine, en préparant le petit déjeuner.

Violette ne répondit pas. Elle se faisait beaucoup de souci et éprouvait de grandes difficultés à n'en rien laisser paraître. À présent, elle regrettait de n'avoir pas pris ses cachets la veille au soir ; elle sentait sa vie remonter en elle comme une marée et ne voyait aucun moyen de retenir le flot de ses souvenirs. Elle aurait aimé planter là Émile, mais il attendait son café et Violette savait qu'elle ne pouvait rien contre ça. Elle ouvrit le gaz et mit l'eau à bouillir.

— Quoi de neuf, docteur ? lui demanda-t-elle, sacrifiant au rituel qui voulait qu'elle lui pose chaque matin la même question.

— Excellentes nouvelles, je n'ai que d'excellentes nouvelles. L'article sur l'enchâssement a été traduit en allemand. Ça change tout. C'est extraordinaire comme le fait de se lire dans une autre langue peut vous aider à prendre de la distance. Depuis hier, il me semble que tout s'éclaire.

Violette hocha la tête, indifférente. Elle était ailleurs. Assise à flanc de coteau sur une pente caillouteuse, dans une petite robe rose que lui avait tricotée sa mère. Elle criait, dans une langue qu'elle avait l'impression de ne plus comprendre à présent, des mots adressés à une personne dont le visage refusait de se dessiner dans son esprit. Sans doute un enfant, comme elle, vu la silhouette.

— Mais je vous embête avec mes histoires d'enchâssement, reprit Hortchak.

Violette nia, les yeux écarquillés, le regard fixe, comme si, tout en parlant, elle s'était trouvée ravie par une transe soudaine. Son corps entier semblait pris dans les glaces.

– On dirait que l'eau bout, s'exclama-t-il afin de la sortir de son rêve.

Violette ne sursauta pas, comme il s'y était attendu. Elle se leva lentement, les yeux toujours rivés au même point, et pivota sur ses talons. Le dos raide, elle saisit fermement le manche de la casserole et vida son contenu dans l'évier. Un nuage de vapeur s'éleva aussitôt et Émile s'estima heureux qu'elle ne lui eût pas renversé l'eau bouillante sur la tête. Peut-être était-elle un peu dérangée, finalement.

Il toussota, n'osant rien dire, et se mit à pianoter sur la table.

– J'ai envie d'un petit turc, dit Violette d'une voix autoritaire.

Émile sourit, rassuré et légèrement émoustillé par cette formulation équivoque. Je serai ton petit Turc, pensa-t-il tout en se demandant si la démence était une maladie contagieuse. Violette sortit sa cassolette en cuivre de dessous l'évier, dosa le café, le sucre, et resta vigilante face à sa gazinière pour surveiller les trois ébullitions nécessaires à la préparation du breuvage. Elle n'avait pas particulièrement envie d'un petit turc, elle désirait simplement se soustraire le plus longtemps possible au regard et aux questions de Hortchak. Elle l'aurait volontiers mis dehors, mais elle était trop bien élevée pour cela. Elle se sentait partir. Elle devait s'efforcer de faire le calme en elle, de contrôler les images et les noms qui se bousculaient derrière ses yeux fixes et ses lèvres closes. En regardant pour la troisième fois les bouillons noirs se concentrer au centre du pot de cuivre, prêts à déborder, elle fut saisie de terreur et se prit la tête dans les mains.

Hortchak bondit et arriva juste à temps pour retirer la casserole du feu. Il se brûla la main sur le manche en laiton et poussa un cri. Il avait toujours été douillet.

— Et merde ! cria-t-il.

Sans qu'il ait eu le temps de réagir, Violette s'effondra et se mit à pleurer. Debout derrière elle, il se sentait idiot. Sa main le faisait souffrir et il ne pouvait s'empêcher de penser que lui aussi aurait eu de bonnes raisons de pleurer. Les sanglots de Violette le mettaient mal à l'aise ; il aurait aimé disparaître, comme lorsque sa mère lui disait « Va voir ce qu'a le petit » en entendant un de ses nombreux fils en bas âge pleurnicher à l'autre bout de l'appartement. Qu'il crève, pensait invariablement le petit Hortchak. Quand un des marmots avait effectivement crevé, Émile avait cru sentir la main de Dieu se poser, menaçante, sur son épaule. Une fois ce sentiment dissipé, il s'était remis à haïr sereinement ses cadets, jusqu'au jour où il avait quitté la maison. À son corps défendant, Émile se retrouvait une fois de plus tenaillé par une douleur honteuse, celle de n'être pas celui qui souffre et que par conséquent l'on console.

Ne sachant que faire, il prit la main de Violette pour l'aider à se redresser. La douceur de sa peau pénétra en lui. Il s'efforça de ne pas trembler. Souvent il avait observé les mains de Violette, rondes, aux petits doigts fins et agiles ; des mains de dentellière ou d'épépineuse de groseilles, façonnées pour un travail lent et ingrat. Sa propre paume lui semblait soudain indigne de recueillir ces doigts souples et tendres. La main de Violette, légèrement repliée dans la sienne, lui évoquait le corps chaud et fragile d'un poussin. Ne sachant que faire, il resta immobile et muet.

La sonnette retentit. Les sanglots de Violette se firent soudain plus discrets. Hortchak lâcha la main de sa voisine et se sentit aussitôt abandonné.

— Qui êtes-vous ? demanda d'une voix autoritaire la jeune femme qui se tenait à la porte.

Hortchak ne répondit pas. Il détailla l'intruse en blouse blanche. Des épaules étroites et tombantes, des hanches larges et sans vie, des chaussures à lourdes semelles compensées. En remontant vers le visage il se dit qu'une femme stupide était de loin plus répugnante qu'une femme laide. Sous des cheveux frisés pris dans une queue de cheval, les yeux bleu pâle de la jeune femme étaient fixés sur lui, petits, sans cils, idiots. Sa bouche au pli mauvais remua de nouveau.

— Qu'est-ce que vous faites là ? demanda-t-elle du ton qu'elle aurait employé pour parler à un chimpanzé.

— Docteur Hortchak, fit Émile, aussi fermement que possible, en lui tendant la main.

La jeune femme lui tendit la sienne en réponse ; une main molle et humide. Hortchak comprit au regard qu'elle posa sur lui qu'elle n'était pas dupe. Elle était infirmière, et les infirmières savent reconnaître les vrais docteurs des autres. Elle le contourna, soudain consciente de la présence de Violette agenouillée en larmes sur le carrelage.

– Mais qu'est-ce que vous lui avez fait ? dit-elle sans la moindre compassion.

Elle posa sa mallette sur la table et baissa les yeux vers Violette d'un air dégoûté.

– Rien, absolument rien, dit Hortchak. Il se haïssait de se sentir coupable et d'éprouver si violemment le besoin de se justifier. Elle était en train de faire du café, poursuivit-il, et tout à coup elle s'est mise à pleurer. Elle a dû se brûler.

L'infirmière tourna son regard morne vers lui et plissa les paupières, ce qui lui donna l'air encore plus imbécile.

– Vous êtes un proche ? dit-elle. Parent ? Ami ?

Émile fut pris au dépourvu. Qu'était-il au juste pour Violette ? Un ami ? Pas vraiment. Plutôt un admirateur secret ; mais aussi une sorte de parent.

– Un voisin, fit-il après un moment d'hésitation.

– Alors, sortez d'ici, je vous prie, gronda l'infirmière, aussi convaincue de son bon droit que s'il lui avait répondu « Je suis Jack l'éventreur ». Mme Opass a besoin d'être seule.

Entre-temps, Violette avait cessé de pleurer, mais en entendant ces mots elle appela Hortchak tout bas :

– Ne me laissez pas seule avec elle. Elle est folle. Elle croit que je suis folle. Elle va dire à Vitrier de me reprendre à l'hôpital.

– Mais elle m'a dit de partir, murmura Hortchak.

– Vous êtes un homme, oui ou non ? Inventez quelque chose !

– Qu'est-ce que vous complotez tous les deux ? s'écria soudain l'infirmière.

Il lui fallait un certain temps, semblait-il, pour réagir. Son cerveau était lent à analyser les données.

Hortchak se redressa, délivré de sa lâcheté.

– Laissez-nous seuls, s'il vous plaît, mademoiselle. Nous avons des choses à nous dire.

En prononçant ces paroles, il alla ouvrir la porte et fit un petit signe du menton en direction du perron. Sur le seuil, l'infirmière se retourna et dit avec un large sourire :

– Querelle d'amoureux, je vois le genre !

Pour la première fois de sa vie, Émile Hortchak pensa que certaines personnes devraient être interdites de sourire, tout comme celles qui chantent faux ne devraient pas avoir le droit de fredonner ; c'était une insulte à la musique.

La porte claqua. Violette était toujours à genoux, la tête baissée. Hortchak se sentait mal à l'aise. Il regrettait soudain sa matinée perdue. Il avait vraiment autre chose à faire que le garde-malade. Il regarda sa montre : dix heures moins dix. Il aurait déjà dû être dans le bus. Harriet commencerait à appeler chez lui dans un quart d'heure. Harriet. Comme ces jeunes Américaines avaient l'air en bonne santé ! C'était rassurant. À les voir déplacer leur mètre soixante-quinze de chair légèrement hâlée, leurs cheveux brillants, leurs poitrines compactes, leurs mâchoires lourdes aux lèvres charnues et leurs grands yeux naïfs surmontés de sourcils aux accents ironiques, on se sentait serein face aux multiples menaces qui pesaient sur le genre humain. La couche d'ozone pouvait bien rétrécir, les centrales nucléaires exploser en série, la calotte polaire poursuivre sa fonte, tant que ces filles musclées arpenteraient la planète, il ne serait pas nécessaire de s'inquiéter. Harriet, en revanche, s'inquiétait de tout, du moindre retard, de la moindre remarque, du plus petit manquement au déroulement idéal de la journée. Elle faisait dans la perfection. Sa jupe ne se froissait pas, elle n'avait jamais de cernes, elle sentait la prairie et les petites fleurs du matin au soir. Hortchak ne lui avait jamais fait la cour. Il la regardait à peine. Sa présence au secrétariat suffisait. C'était bon de savoir que, derrière le comptoir, un grand corps sain respirait sous le contrôle d'un cerveau ordonné.

Violette releva la tête. Le blanc qui entourait l'iris n'était pas injecté de sang, mais légèrement bleuté, comme un lac polaire, se dit Hortchak. En cet instant, il aurait pu être l'auteur de toutes les fadaises écrites au cours des siècles sur les yeux des femmes. Il avait mal, il n'aurait su dire où, et il lui semblait reconnaître dans cette douleur insaisissable un très vieux sentiment ; plutôt une sensation. Comment était-ce déjà ? On marche seul dans la rue, on n'a pas encore tout à fait achevé sa croissance, c'est le printemps, les bourgeons luisent au bout des branches comme du cristal, un souffle de vent frais traverse l'air chaud et transparent juste au moment où l'on ouvre la bouche, et l'on soupire à l'unisson du monde, parfaitement heureux, le dos hérissé d'épines de soie, les jambes comme soudain vidées de leur sang, ni légères ni lourdes, prêtes à s'envoler.

— Il faut que j'y aille, dit-il en regardant de nouveau sa montre.

— Vous pouvez bien arriver deux minutes en retard, pour une fois, non ? Je croyais que c'était vous le grand chef, dit Violette en se relevant.

— C'est une question de respect mutuel, dit Hortchak, conscient d'emprunter cette réplique au registre de la belle Harriet.

— Et si elle revient ?

— Qui ça ?

— Véronique, la nouvelle, l'infirmière.

— Eh bien ?

— Si elle revient et qu'ils m'emmènent dans l'ambulance pour retourner là-bas, je me tue. Je me coupe les veines avec les dents, je vous jure.

Hortchak étouffa un rire sous une quinte de toux.

— Vous avez déjà été interné, vous ? dit Violette, comme on demande à son voisin dans le train s'il a déjà pris l'avion.

— Non, non, mais je crois que je peux imaginer. J'ai été hospitalisé d'urgence pour une péritonite...

— Vous ne pouvez pas imaginer. Personne ne peut. C'est comme si on vous coupait les bras et les jambes. On vous donne des médicaments toute la journée. Des médicaments qui rendent fou.

Hortchak soupira, enfonça les mains dans ses poches, pivota légèrement sur lui-même pour regarder par la fenêtre ; il attendait qu'elle le libère.

— À demain, Hortchak, dit-elle. J'ai à faire.

Il lui tendit la main sans réfléchir, et lorsqu'elle la

serra, il se rendit compte que tous les autres jours ils s'étaient quittés sans s'être touchés. Il avait tendu la main pour sentir une fois encore avant de partir la douceur de Violette.

Elle lui sourit, ravie qu'il la laisse enfin tranquille, et il se sentit fondre, convaincu qu'elle aussi se délectait du simple contact de leur peau.

3

Gabriel entra chez lui par la fenêtre. Il avait oublié sa clé à l'intérieur et ne tenait pas à déranger son grand-père de si bonne heure. Il possédait l'habileté d'un cambrioleur ; ses doigts firent jouer les gonds et les loquets sans peine. Il avait passé la veille dans les mairies à moissonner des certificats de naissance et de décès, prétendant que c'était pour obtenir une bourse de recherche. À chaque employé de mairie, il avait montré sa carte d'étudiant comme s'il s'était agi d'un laissez-passer. Personne ne l'avait cru, mais on ne pouvait rien lui refuser. Il avait un sourire cruel et savait donner des ordres ; ses paupières, qui retombaient tristement sur ses prunelles turquoise lorsqu'on lui opposait la moindre résistance, semblaient menacer et punir. Si vous ne faites pas ce que je vous demande, croyait-on lire sur son visage, je m'ouvre les veines devant vous, ou alors je vous tire une balle entre les deux yeux, je n'ai pas encore décidé. Il avait marché toute la nuit à travers la ville, les mains dans les poches, le corps transi de froid.

Gabriel était un jeune homme résolu. Il ne s'habillait

qu'en noir, se nourrissait exclusivement de poisson fumé et de légumes en saumure, buvait un litre de thé noir par jour, ne fumait pas, n'avait jamais touché une goutte d'alcool, regardait toujours les yeux des filles avant de s'intéresser au reste, travaillait quatre heures par jour à sa thèse, jamais plus, jamais moins. Il savait cependant qu'il n'était pas fou. Il aurait pu vivre autrement. Avoir des amis, les rencontrer au cinéma, danser dans des boîtes de nuit, coucher avec des dizaines de femmes, lire les journaux, boire des cafés aux terrasses, porter le même jean déchiré jusqu'à ce qu'il tienne debout tout seul. Il haïssait la distraction. Son grand-père, en essayant de lui transmettre sa religion, n'avait réussi à lui inculquer que la rigueur. Si on lui avait dit que, pour obtenir ce qu'il voulait, il devait aller vivre au sommet d'une colonne et se nourrir d'un verre d'eau et d'une pincée de sel par jour, il l'aurait fait sans hésiter. Il n'était pas certain de ce qui l'animait, esprit de vengeance, carence métaphysique, manque d'amour. Quoi que ce fût, il l'acceptait, car il n'avait pas le choix. Il agissait sans avoir à réfléchir et s'estimait heureux de ne pas connaître les doutes et les hésitations dont il aurait dû être dévoré parce qu'il était jeune, beau et fort et qu'il avait toute la vie devant lui.

Il s'installa à sa table de travail, alluma son ordinateur et se mit à recopier sa bibliographie. Dans le petit cadre en argent qui reposait sur l'étagère, entre deux diction-naires, sa mère le regardait, figée dans son éternelle jeu-nesse, un chignon de boucles blondes surmontant son petit front soucieux. Sa bouche avait un sourire mystérieux, insatisfait et tendre. Il rangea le cadre dans le tiroir de son bureau et se mit à écouter les enregistrements qu'il avait faits la veille. Cassette nº 3#, Café de la Gare, un homme avait répété cinq fois de suite « Ma passion ne peut pas attendre ». Gabriel laissa défiler la bande jusqu'au moment où une voix de femme disait « J'aurais voulu un café », le garçon répondait « Pardon ? » et la femme reprenait « Un café, s'il vous plaît ». Lorsque le soleil entra par la fenêtre pour dessiner un rectangle doré sur le mur, il rangea ses affaires. Dix heures, sa journée de travail était terminée.

Face à la porte de sa chambre, Violette hésita un instant. Elle avait peur ; peur d'elle-même. Elle craignait – avec une précision telle, avec une lucidité si admirable que cette crainte s'approchait dangereusement de la certitude – d'être réellement folle. Cela faisait trop longtemps qu'elle était seule. Elle bénéficiait d'un mois de congé supplémentaire. Le professeur Vitrier avait bien voulu lui faire cette fleur, parce qu'à l'époque elle lui avait dit qu'elle redoutait le retour au travail. C'était faux. Elle ne frémissait pas d'horreur, comme elle l'avait prétendu, à l'idée que ses collègues la regarderaient avec un mélange de compassion et de jalousie ; les congés payés, ça se paye, semblaient dire leurs yeux. Simplement, elle n'avait plus envie de travailler. Responsable de la saisie informatique. Elle, ce qu'elle aurait aimé saisir, c'étaient les papillons blancs ou jaune pâle qui volent sur le bord du chemin comme s'ils indiquaient la direction à prendre, c'étaient les feuilles toutes petites, celles qui sont au sommet des arbres et qui ne cessent de remuer même lorsqu'on a l'impression qu'il n'y a pas un souffle de vent. Saisir les images furtives qui se dessinaient parfois dans sa mémoire et s'effaçaient en laissant un sourire ahuri sur ses lèvres; étreindre les corps disparus et ne plus les lâcher, ne pas les laisser partir cette fois. La frontière lui semblait si ténue. Il ne fallait pas qu'elle s'attarde sur cette pensée. Cette limite qu'elle se sentait prête à franchir n'était pas celle qui sépare la vie de la mort, mais les esprits sains des autres, les cœurs résignés de ceux qui, berçant un kilo de courgettes, se mettent à lui parler. Alors, elle n'aurait plus le courage de résister à Véronique, elle prendrait ses cachets comme on le lui avait recommandé et se laisserait enfermer avec un sourire d'excuse aux lèvres.

Après une profonde inspiration, elle pénétra dans la chambre. Elle tourna sur elle-même, balayant du regard l'édredon rouge à moitié tombé du lit, les draps tire-bouchonnés, l'oreiller qui gardait l'empreinte d'une tête, la chaise sur laquelle étaient jetés une paire de collants, une jupe, un chandail, un chemisier dont les manches déployées lui rappelaient les ailes d'un oiseau de proie.

Elle fit quelques pas vers la commode et s'arrêta soudain, se demandant s'il ne faudrait pas faire un peu de ménage. Violette savait que, plus le jour avançait, plus le désordre était choquant. Elle commença par ouvrir largement la fenêtre. Une bourrasque soudaine souleva les brindilles et les feuilles mortes qui avaient échoué sur la plaque de zinc du balcon et les précipita dans la chambre. Une tornade, c'est tout ce qui me manquait, pensa

Violette, désolée d'être le jouet du sort. La fenêtre resterait ouverte malgré la tempête qui se préparait. Le ciel était parfaitement bleu. D'où vient le vent ? se demanda Violette. Ne tombe-t-il pas des nuages comme la pluie ? Elle secoua la tête et prêta l'oreille aux sons de la rue, comme s'ils avaient pu lui apporter une réponse. Au loin, par-delà le pépiement agaçant des oiseaux et le ronflement régulier des moteurs se succédant le long de l'avenue du Président-Wilson, elle perçut le bruit de ventouse des freins de l'autobus qui emportait Hortchak vers son travail. Adieu Émile. À présent qu'il n'était plus là, elle aurait aimé lui parler. Mais sa crainte de se laisser prendre l'emportait sur son désir de se confier. Le problème avec les gens, c'est qu'ils finissaient toujours par disparaître.

Une fois le lit fait, elle s'allongea, les yeux ouverts, et s'efforça de retrouver le fil conducteur.

– Quand ma grand-mère a épousé mon grand-père, elle avait neuf ans, dit Violette à voix haute.

Cela faisait des jours et des jours qu'elle avait préparé cette phrase. Elle était convaincue que c'était le début de l'histoire. Elle l'avait prononcée mentalement tant de fois que, lorsqu'elle franchit ses lèvres, elle eut l'impression de ne pas la sentir passer. C'était comme si elle s'était usée.

Quand elle était petite, son père lui avait fabriqué une poupée d'argile. Elle était grossièrement bâtie, mais elle avait une admirable petite bouche. « Cette poupée connaît toute l'histoire de notre peuple. C'est notre mémoire, lui disait-il, ferme les yeux et écoute. » Violette fermait les yeux et écoutait la voix de son père sortir de la bouche d'argile. Les patriarches se succédaient, certains rois étaient justes, d'autres cruels ; Violette admirait ces hommes infiniment sages et lorsque, seule dans sa chambre, elle essayait de se représenter la vie de ses ancêtres, elle voyait des milliers d'hommes, de femmes et d'enfants, marchant en file indienne dans le désert pendant des siècles. Lorsque son père était mort, sa mère avait brûlé toutes ses affaires. Seule la poupée avait échappé au massacre parce que Violette l'avait cachée dans son lit. Aujourd'hui, elle reposait sur sa table de chevet, muette depuis plus de vingt ans. Violette se demanda si elle ne pourrait pas s'en servir, un peu comme un ventriloque se sert de sa marionnette. Mais elle ne parvenait plus à croire aux sornettes de son enfance. Dans les contes, les princesses parlent aux ruisseaux, les arbres conseillent les sorcières, même les cailloux ont leur petite voix bien à eux. Violette sentait que si elle ouvrait de nouveau la bouche elle se mettrait à rire. Elle n'était malheureusement pas assez folle pour aller jusque-là.

À flanc de coteau, il y avait des cailloux et beaucoup de poussière. *À flanc de coteau.* Elle n'avait jamais employé cette expression. C'était tellement français. Comme si elle n'y avait pas droit. Elle portait une petite robe rose. C'était sa mère qui l'avait tricotée. Elle avait six ans, et cette robe avait été terminée pour son quatrième anniversaire. Quand elle se baissait, même un tout petit peu, on voyait sa culotte. Elle aimait bien qu'on voie sa culotte. Elle estimait que c'était un signe d'élégance. Assise dans la poussière, elle criait dans sa langue. Inutile d'essayer de traduire ce qu'elle disait. Il paraît que pour chaque mot d'une langue il existe un mot équivalent dans toutes les autres, mais Violette pensait exactement le contraire. Elle n'avait jamais parlé français avec sa mère. Il y avait des mots de français dans leur conversation, mais c'était parce qu'elles vivaient en France et que certains objets français n'avaient pas de nom chez elles. Le français remplissait les trous.

Violette a mal à la gorge. Elle porte la main à son cou comme si elle allait pouvoir desserrer l'étau du bout de ses doigts. Elle entend les mots que la petite fille en robe rose crie d'une voix vibrante. Elle ne les comprend pas. La silhouette à qui elle s'adresse remonte vers elle, le long de la pente caillouteuse. Sa progression est lente. Les pieds glissent sur les galets qui roulent en crissant dans le sable. Elle ne voit pas de visage. Elle pense que c'est un garçon. Elle a peur qu'il arrive jusqu'à elle. Tandis que la petite fille continuait de crier, Violette roula sur elle-même et rencontra le visage sans yeux de la poupée d'argile. D'un geste, elle la saisit et la fourra sous sa table de chevet.

Assise sur son lit, légèrement déçue, elle se demanda ce qui n'allait pas. Elle se dit qu'il lui faudrait peut-être reprendre ses cachets et, pour éviter d'y penser, décida d'aller planter les trois bulbes d'iris qu'elle avait abandonnés la veille.

C'était à l'hôpital qu'elle avait pris goût au jardinage, l'une des activités de détente conseillées par les médecins. Violette aurait dû détester ça. Elle méprisait tout ce que les psychiatres pouvaient lui proposer : jeux de société, poterie, émaux. Ce qu'elle avait tout de suite aimé dans le jardinage, c'était le jardinier. Jacques Ourson était de taille moyenne. Il avait les cils roux, les yeux vert clair, des taches de rousseur, quelques cheveux blonds par-ci par-là. Il pouvait avoir entre trente-cinq et cinquante ans. Ses épaules tombaient sous les bretelles de son tablier, mais ce n'était pas faute de se tenir droit comme un piquet. Il parlait peu et se fichait de la psychologie. Violette l'avait compris au cours de leur première rencontre, lorsqu'il lui avait dit, en lui montrant un carré de soucis envahi par de minuscules pousses vertes rampant au ras du sol : « Vous commencerez par m'enlever toutes ces herbes folles. » Violette s'était penchée en avant, les jambes tendues, ravie de n'être pas assez folle pour que l'on s'interdise d'employer cet adjectif devant elle. Le sang lui était rapidement monté à la tête. Ourson s'était alors approché d'elle, avait posé les mains sur son dos et lui avait dit : « Si vous voulez devenir un bon jardinier, il va falloir apprendre à plier les genoux. » Depuis le dos, ses mains avaient glissé jusqu'aux creux poplités afin de faire ployer les articulations de son apprentie. Violette s'était retrouvée accroupie, le nez dans les soucis. Ils avaient travaillé en silence, plusieurs heures d'affilée. À un moment, Ourson s'était redressé et avait dit : « Vous savez ce que j'aime dans ce métier ? » Violette avait secoué la tête. « La solitude. Personne ne vient m'embêter, ici. » Violette avait hoché la tête. Elle s'était parfois demandé pourquoi il n'y avait jamais personne à l'atelier jardinage. Elle ne s'en étonnerait plus à présent. Jacques Ourson se char-

geait de décourager les éventuels candidats. Elle avait
souri, et parce qu'il lui avait souri en réponse, elle s'était
sentie acceptée.

Le jardin sentait bon. Lorsqu'elle retournait la terre
ou qu'elle arrachait les racines des mauvaises herbes, Violette constatait à chaque fois avec le même plaisir que
l'humus sentait le propre. C'était rassurant. Il lui semblait que tout était là, entre sa binette et le couteau à
manche de corne que lui avait prêté Ourson. Accroupie,
la poitrine calée entre les genoux, elle voyait dans le
triangle dessiné par ses jambes tout un univers. Il y avait
la sève des plantes, cette nourriture qui appartenait, selon
elle, à la même famille que le miel, il y avait le lait des
racines, qui giclait lorsqu'on les blessait, la rosée déposée
sur la lame des feuilles, les cailloux, les grains de terre
bruns, comme parcourus d'un sang plus pur que celui
qui coulait dans ses veines, agglutinés en mottes moel-
leuses et friables à la fois. Et puis il y avait toutes sortes
d'animaux : lombrics, gendarmes, coccinelles, des ram-
pants, des sautillants, des grouillants, dont elle ne
connaissait pas tous les noms. Un jour, elle s'était dit
que si l'on avait jeté le corps de sa mère directement
dans la terre, elle n'en aurait pas été si affectée. Le problème, c'était cette boîte. Ce capitonnage de satin ivoire
à l'intérieur. Quelle sophistication inutile. Quelle saleté
lorsque l'étoffe commencerait à pourrir. Les choses sen-
taient toujours plus mauvais lorsqu'on les enfermait dans
une boîte, tandis que si on les laissait se décomposer
dans la terre purificatrice, elles se répandaient simplement, se brisaient, ou s'éparpillaient, certains morceaux

emportés par un hanneton, d'autres gobés par un ver, d'autres encore piqués au bout du bec d'un oiseau fouisseur. Tout en remuant ces pensées, Violette s'était coupée au fil du Laguiole d'Ourson.

« Zut ! »

Le jardinier avait levé les yeux.

« Je me suis coupée.

— Ça fait mal ? avait demandé Ourson sans douceur.

— Non, pas du tout. Ça saigne énormément », avait constaté Violette, les yeux rivés à sa main ruisselante.

Lorsque Jacques Ourson était revenu de son appentis, où il était allé chercher de quoi soigner la blessure, il avait trouvé Violette étendue sur le sol, agitée de sanglots.

« Ne faites pas l'enfant », lui avait-il dit sans essayer de la relever.

Il avait pris sa main blessée, l'avait noyée sous la pomme de l'arrosoir, puis avait tamponné l'entaille avec un coton imbibé de teinture d'iode. Une fois le doigt emmailloté dans un bandage serré, il avait nettoyé le poignet de Violette.

« Ce n'est pas pour ça que je pleure, avait-elle dit.

— Sans blague ? avait répondu Ourson. Puis il avait éclaté de rire. Si vous voyiez votre tête ! »

Violette avait baissé les paupières et s'était mise à rire elle aussi en essayant de nettoyer les marques de sang, de terre et de larmes qui barbouillaient son visage.

Les bulbes d'iris reposaient dans le fond de la bassine. Violette les essuya un à un dans le tablier qui leur avait servi de couverture pour la nuit. En levant son plantoir, elle décida de ne pas les disposer dans l'alignement des autres. Elle les planta assez serrés, dessinant une sorte de triangle devant la rangée initiale. Satisfaite de son travail, elle se dit qu'elle pourrait peut-être devenir jardinier. Il n'y avait qu'à planter. Elle alla s'asseoir dans la cuisine avec une tasse de café et les trois tomes de son dictionnaire du jardinage.

4

— Hello, Sunshine ! lança Hortchak à Harriet en accrochant sa veste dans la penderie.

— Bonjour, monsieur le retardataire, répondit la jeune femme.

— J'ai un peu traîné chez ma voisine, dit-il d'un ton fripon, histoire d'évaluer le degré d'amour que lui portait sa secrétaire d'après la dose de jalousie qu'il lirait dans son regard.

— La pauvre, lâcha Harriet.

— Pas d'appels, ce matin ? demanda-t-il d'un ton brusque en poussant la porte de son bureau.

— Non, mais il faut absolument rappeler le professeur Jabrowski, il a essayé trois fois de vous toucher hier.

De me *toucher* ? pensa Hortchak, quelle horreur ! Plutôt coucher avec une méduse. Il claqua énergiquement la porte. À travers ce geste, il entendait signifier à Harriet que certains anglicismes étaient particulièrement malvenus, en particulier avant le déjeuner, mais surtout qu'elle n'avait pas le droit de dire « la pauvre » en parlant de Violette. Pour qui se prenait-elle ? Les jeunes ne comprennent rien, se dit-il en jetant sa sacoche sur la table, ou bien étaient-ce les Américains qui n'y comprenaient rien, ou alors les femmes ? Devant lui, son cahier de notes était ouvert. Il prit l'article traduit en allemand et caressa les pages comme un aveugle qui lit du bout des doigts. Certains jours, tout était incroyablement limpide.

Il tira son stylo de sa trousse, le déboucha, souligna la première ligne, apposa une croix dans la marge, à l'endroit où le traducteur avait fait un heureux contresens, et poussa un soupir. Il était si près du but. Pourquoi se hâter ? Une fois son livre achevé, qu'arriverait-il ? Un nouveau poste d'enseignement qu'il s'empresserait de refuser, des échanges de lettres avec Jabrowski ou d'autres, des invitations à participer à tel ou tel colloque, conférences, sollicitations d'universités étrangères. Sa gorge se serra. Il se rappela la main de Violette dans la sienne. Rien ne presse, se dit-il tout bas.

Le voyant lumineux du téléphone se mit à clignoter.

– Oui ? dit Émile en plaquant le combiné contre sa joue.

– J'ai Jabrowski en ligne, dit Harriet. C'est moi qui l'ai appelé. Je lui ai dit que vous aviez essayé de le joindre toute la matinée. Ne me remerciez pas. Je vous le passe sur la 1.

Hortchak serra les dents.

– Harriet ! s'écria-t-il avant qu'elle ne raccroche.

– Oui ?

– Quel niveau d'études avez-vous ?

– Mon CV est dans le troisième tiroir du meuble roulant en partant du haut, répondit-elle avant d'actionner la touche qui donnait la parole aux interlocuteurs extérieurs.

— Milou ! Vieux terroriste planqué, trompeta Jabrowski à l'autre bout du fil. Qu'est-ce que tu fabriques depuis une semaine ? Tu nous réécris la Bible, ou quoi ? Tu sais que c'est complètement passé de mode ?

— Voui, je sais.

— Quoi, tu sais quoi ?

— Je sais que si j'étais à moitié aussi efficace que ma secrétaire, j'aurais déjà accompli un tel travail qu'on enseignerait l'espéranto à l'école maternelle.

— Qu'est-ce que tu racontes ? Tu as bu ?

— Comment va ta femme ? demanda Hortchak.

Soudain, il n'aurait su dire pourquoi, l'image de Sonia Jabrowski, avec son fichu sur la tête laissant dépasser les boucles de sa perruque rousse, lui était apparue. Sonia n'était pas le genre de personnes auxquelles on pense. C'était une femme discrète, très religieuse, qui avait élevé six enfants sans jamais hausser le ton. Hortchak la voyait très rarement. Il n'avait jamais osé lui serrer la main. Face à elle, il se sentait un peu comme face à Dieu.

— Pas terrible, terrible. Pourquoi ? Qu'est-ce qui te prend ? La dernière fois, vous ne vous êtes à peine adressé la parole.

— Je ne sais pas. Je te demande comment va ta femme, c'est tout.

— Elle va se faire opérer de nouveau. Il semblerait qu'ils aient raté quelque chose à la dernière intervention.

Ils ont oublié de... je ne sais pas exactement quoi. Je ne comprends absolument rien à tout ce qu'ils me disent. Moi, ce que je sais, c'est que j'avais l'impression qu'elle allait beaucoup mieux et que j'ai une trouille bleue de cette opération.

Jabrowski avait changé de voix.

— Qu'est-ce qu'elle a ? demanda Hortchak. Je ne savais même pas qu'elle était malade. Pourquoi tu ne m'as rien dit ?

— C'est un truc veineux ou vasculaire, qu'est-ce que j'en sais ? Un jour ils te disent blanc, le lendemain ils te disent noir. Ils font le même métier que nous. Ils cherchent. Nous on cherche sur le papier, eux ils cherchent dans le corps de Sonia, mais je t'assure qu'ils ne voient pas la différence.

— Pourquoi tu ne viens pas déjeuner avec moi à l'Institut ? La cantine est tout ce qu'il y a de plus correct.

— Je n'ai pas le temps. Je dois partir pour Zurich. Et puis je la connais, ta cantine, du gras, du gras, du gras. Moi, tu sais, à midi, un biscuit trempé dans du fromage blanc, ça me suffit largement.

Hortchak regretta d'avoir interrompu Jabrowski en lui lançant cette invitation stupide. À présent, ils étaient retombés dans leurs chicaneries habituelles, et il lui semblait que les grands yeux bruns de Sonia le regardaient du fond d'un placard dont il aurait refermé la porte par inadvertance. Il était impossible de revenir en arrière, de dire quelque chose comme « C'est de Sonia que nous parlions, revenons à elle » ; la pudeur de Jabrowski avait été suffisamment éprouvée.

– Zurich…, reprit Hortchak d'un ton évasif. Mais qu'est-ce que tu vas fiche là-bas ?

– On m'invite, on me paie, j'y vais. Qu'est-ce que tu veux que je fasse ? Tout le monde ne peut pas être un génie.

– Non, non, bien sûr, dit Hortchak inconsidérément. Et les enfants ? s'exclama-t-il soudain. Comment vont tes enfants ?

– Écoute, ça va. Nitka est repartie au Canada avec son mari et les deux petits. Elle a pris au moins trente kilos. Je te jure, on dirait un hippopotame. Remarque, ils sont tous gros dans cette famille ; son mari doit faire dans les cent quarante, et les bébés, on dirait qu'ils vont éclater. Il paraît que tout le monde est comme ça au Canada, à cause du froid. C'est ce que dit Sonia. Valérie est en dernière année de thèse ; on ne la voit jamais. Irvin a plaqué véto, et maintenant monsieur prétend qu'il a besoin de réfléchir…

Tandis que Jabrowski continuait d'énumérer les mérites et les torts de sa descendance, Hortchak cessa progressivement d'écouter pour se consacrer exclusivement au nettoyage de son stylo-plume. La question sur les enfants était la dernière perche tendue pour essayer de faire revenir Sonia dans la conversation, il s'en rendait vaguement compte. Les jeunes ne l'intéressaient pas ; ce qui l'intriguait en ce moment, c'étaient les femmes. De temps à autre, il prenait la peine de ponctuer les réflexions de son ami d'un « oui, bien sûr », d'un « non ? » indigné, ou d'un « je vois », plus passe-partout. Jabrowski était intarissable, un détail en amenait un autre, de sa fille il passait à son gendre pour sauter ensuite au petit copain de la benjamine qu'il soupçonnait d'avoir fait de la prison. Il ne recherchait ni l'approbation ni les conseils ; son récit n'avait besoin que d'une oreille, pas même attentive, pour pouvoir s'écouler.

Enfin, au bout d'un moment dont Hortchak n'aurait su définir la durée, le débit de son interlocuteur ralentit sensiblement, signe que les vannes étaient sur le point de se refermer.

— Fantastique, s'écria Émile avant que la gêne ne s'installe.

— Je voulais te demander un petit service, dit Jabrowski. C'est pour un de mes étudiants. Je ne lui ai rien promis, mais j'ai pensé que tu pourrais peut-être lui communiquer tes notes sur ton intervention au Collège de France, *Détermination et modalité dans les langues indo-européennes*. C'était bien ça, non ?

— Non, écoute-moi, c'est complètement illisible, ces trucs-là. En plus, ça date d'il y a combien ? Dix ans ? C'est complètement périmé.

La vérité était que Hortchak avait toujours détesté prêter ses affaires.

— Peut-être bien, reprit Jabrowski, mais moi, je crois que ça l'aiderait beaucoup. C'est un type très spécial. Il est têtu et tenace, mais il manque de maturité. Il a l'air d'un grand gamin perdu. Je ne suis pas du genre à me préoccuper plus que ça du sort de mes thésards. La plupart viennent m'emmerder avec leurs problèmes personnels. Ils mélangent tout. Ils n'ont pas eu le temps de finir leur article parce que leur petite amie les a plaqués.

Des fois je les étranglerais, je te jure. Celui-là, c'est un vrai mystère. Mon vieux, il est beau comme un dieu dans son costume de croque-mort et il a une espèce de sourire désespéré... Enfin bon, je ne vais pas t'embêter trois heures avec ça. Ce ne sont pas les résultats qui m'intéressent, tu t'imagines bien. Ce garçon a vraiment quelque chose. Il a une de ces visions, tu serais jaloux. Mais le problème, c'est qu'il ne sait pas écrire. Il passe son temps à enregistrer des conversations de comptoir et il me les envoie par la poste. Je ne les écoute pas, tu t'imagines bien, je n'ai pas que ça à faire. Il rédige comme un cochon. Quand je lui explique que l'expression est parfois aussi importante que l'observation, il me dit « Moi, j'écris pas un roman ». « Peut-être », que je réponds, et je me retrouve comme un imbécile parce que je n'ai pas d'exemple sous la main pour lui montrer que j'ai raison.

Ce ne furent pas les arguments de Jabrowski qui persuadèrent Hortchak d'accepter. Alors qu'il prêtait une oreille de plus en plus distraite aux protestations de son ami, le visage de Sonia était de nouveau apparu. Il fronça les sourcils, étourdi, se demandant si la démence était une maladie contagieuse et s'il n'était pas possédé par quelque démon égaré en plein âge du scepticisme.

— C'est bon, soupira-t-il, à bout de nerfs, je me rends. Comment il s'appelle, ton protégé ?

— Schwartz, Gabriel Schwartz, répondit Jabrowski.

Une ombre passa dans l'esprit d'Émile. Son cœur se serra à peine, sans qu'il pût comprendre pourquoi.

— Je te repasse Harriet, tu lui dis ce que tu veux et elle te faxe tout dans la seconde.

— Merci, mon vieux, dit Jabrowski, visiblement ravi de ce long entretien. Il faudrait qu'on se voie un de ces quatre. Tu pourrais passer déjeuner à la maison.

— Oui, c'est ça, pour que tu me donnes un biscuit à tremper dans du fromage blanc ? Merci bien ! On en reparlera.

Hortchak se passa la main sur le front, se leva et se dirigea vers le meuble roulant. Il fouilla du bout des doigts dans le troisième tiroir en partant du haut, et en tira une chemise en plastique transparent qui laissait apparaître dans le cadre supérieur gauche en caractères gras : CURRICULUM VITAE – HOUGHTON HARRIET, MYRIAM, DORIS, ALEXANDRA.

Il sortit les trois feuillets imprimés et s'installa à son bureau, un crayon noir à la main. Il ne se souvenait pas avoir lu ce document. Lorsqu'il avait reçu le CV de miss Houghton, il s'était contenté de le laisser traîner sur son bureau jusqu'à ce que l'inconnue finisse par en avoir assez d'attendre une réponse et par décrocher son téléphone. La voix lui suffirait amplement à juger si cette petite nouvelle pouvait convenir. Harriet n'avait pas téléphoné. Elle était venue, en personne, sans prendre rendez-vous, vêtue d'un tailleur fluide qui ondulait de ses épaules à ses cuisses ; ses clavicules dansaient sous les revers légers et ses genoux semblaient vous regarder comme une paire d'yeux. Hortchak se demanda même s'il n'y avait pas une sorte d'entourloupe, comme un philtre magique enduisant les rotules par exemple. Comment expliquer autrement que, lorsque Harriet pénétrait dans une pièce, le regard — celui des hommes comme celui des femmes — plongeait irrésistiblement sur ses genoux ?

Elle avait poussé la porte sans frapper. « Je ne vous dérange pas ? » Hortchak s'était levé de son siège, s'excusant presque de ne pas avoir bondi pour lui ouvrir. Elle était engagée. Elle l'avait été immédiatement. Sa voix, ses genoux, son air de ne pas y toucher, un délice. Hortchak lui posa deux ou trois questions sans écouter les réponses et lui fit visiter les locaux. À chaque nouvelle personne qu'elle croisait, Harriet offrait un sourire que Frédéric Ingembe, le psychomotricien, avait estimé à « 3 000 francs l'heure de pose en supposant que c'est une publicité pour un dentifrice ». Il s'y connaissait, sa compagne était mannequin. Revenu au point de départ, Émile avait longuement expliqué à sa nouvelle secrétaire le fonctionnement du standard téléphonique, répétant à plusieurs reprises que ces détails devaient paraître triviaux à une femme moderne comme elle. C'était elle qui avait mis fin à la conversation :

« Vous voulez bien m'appeler Harriet ?

— Absolument, Harriet, absolument, s'était-il exclamé. Vous commencez tout de suite, poursuivit-il en lui arrachant son sac à main pour le poser sur le bureau. »

Elle s'était assise bien sagement sur sa chaise à suspension hydraulique et avait congédié son nouveau patron d'un regard.

Le CV de sa secrétaire entre les mains, il ressentait les

palpitations typiques – pensait-il – de l'inspecteur de police sur le point d'établir une connexion entre deux affaires qui, jusque-là, n'avaient rien à voir. Harriet était trop efficace, ça cachait quelque chose. En bon chercheur, il savait que, pour trouver, il suffit d'observer suffisamment longtemps. Hortchak décida de soumettre le curriculum de sa secrétaire à un examen méticuleux. Quatre prénoms, pour commencer, rien que ça ! Date de naissance : 6 juin 1967. Hortchak poussa un long soupir. Ce que ces Américains pouvaient être jeunes ! C'était agaçant. Il passa assez vite sur les années de collège, puis de lycée, sans toutefois omettre de souligner au crayon noir la mention d'une médaille d'or décernée à miss Houghton pour sa performance aux jeux scolaires interfédéraux au lancement du poids. En première année d'université, elle avait été acceptée à Yale pour suivre un cursus de philosophie, avec, en UV secondaires, deux certificats de mathématiques. Elle avait quitté Yale pour Harvard et rédigé un mémoire d'épistémologie dont l'intitulé était : *De l'animisme au vitalisme, les apports des conceptions aristotéliciennes aux travaux de Claude Bernard*, avec, pour sous-titre : *Contre une définition cartésienne de l'humain.* Elle n'y allait pas de main morte, la petite ! Deux ans à Palo Alto, des articles publiés à droite à gauche. Dans la marge se déroulait la liste des diplômes obtenus, bien souvent en parallèle du cursus majoritaire. Comment cette gamine avait-elle eu le temps de passer tous ces examens ? De quel genre de mystification était-il le jouet ?

62

— Harriet ! hurla-t-il, sans prendre la peine d'appuyer sur la touche de l'interphone.

Harriet entra, visiblement affectée par l'écart de conduite dont son patron venait de se rendre coupable. Hurler un nom d'un bureau à l'autre sans avoir recours à l'interphone, c'était comme décacheter une lettre avec la pointe d'un crayon alors que l'on dispose d'un coupe-papier. Désordre, inefficacité, laxisme.

— J'aimerais savoir de qui vous vous foutez, mon petit ? dit Hortchak en agitant les trois pages de CV sous le nez de sa secrétaire.

Harriet s'efforçait de comprendre. Son front s'était barré de trois rides et sa bouche s'était recroquevillée, ne formant plus qu'un bouton de fleur au-dessus de son menton. Tandis qu'elle se livrait à des exercices de rationalisation périlleux, le regard de Hortchak se posa sur les dernières lignes de la page 3, qu'il n'avait pas pris le temps de lire. EMPLOI RECHERCHÉ : ASSISTANTE DE RECHERCHE AUPRÈS DU PROFESSEUR HORTCHAK / RESPONSABLE DE LA COMMUNICATION ENTRE LES SERVICES D'ORTHOPHONIE ET DE PSYCHOMOTRICITÉ / RÉDACTRICE DU RAPPORT ANNUEL CONCERNANT LES ACTIVITÉS DU LABORATOIRE DE LINGUISTIQUE.

— Harriet, avait-il dit d'une voix étranglée. Je ne comprends pas... enfin, je voudrais surtout m'excuser. D'ailleurs, c'est un malentendu. Vous auriez dû vous-même protester dès le premier entretien.

Comme elle ne répondait pas, Hortchak la regarda, inquiet. Lorsqu'elle s'était présentée, il était à la recherche d'une secrétaire depuis plusieurs semaines.

Comment aurait-il pu se douter que cette charmante jeune femme au sourire presque niais collectionnait à elle seule plus de diplômes que trois membres titulaires de son équipe ? Avait-il été victime d'un cliché : « Sois belle et tais-toi, plus c'est beau plus c'est bête ? » Non, ce n'était pas cela. Après tout, lui-même n'était pas trop mal de sa personne et ça ne l'empêchait pas d'être nobélisable. La vérité était que Harriet avait réellement l'air demeurée. Même à présent qu'il avait lu le récit de ses exploits, il ne pouvait s'empêcher de discerner dans ses traits une sorte de naïveté qui, associée à la rigidité dont elle faisait preuve à chaque instant, l'apparentait davantage à une poule qu'à une assistante de recherche. Son obsession de l'horaire, de la propriété et de l'ordre était, aux yeux d'Émile, incompatible avec le genre de travail qu'il exerçait et auquel elle semblait vouloir se consacrer. C'était vraiment la meilleure secrétaire qu'il eût jamais eue, mais il sentait qu'il lui aurait fallu beaucoup de courage pour l'accepter comme assistante dans ses recherches personnelles. D'ailleurs, il avait toujours travaillé seul. Il n'aimait pas partager ses intuitions. Un coup de fil à Jabrowski de temps en temps, d'accord, mais c'était plutôt une détente. Jabrowski lui-même savait pertinemment que les hypothèses que lui livrait parfois son ami étaient soit déjà confirmées, soit carrément obsolètes. Pourtant, pourtant... une réflexion le démangea soudain, piquante comme une morsure d'araignée ; depuis un mois qu'il prenait son café avec Violette, il lui en avait dit davantage sur ses recherches qu'à quiconque au cours de sa vie. Presque chaque matin, en répondant à la question « Quoi de neuf, docteur ? », il lui livrait un détail tout frais. Il lui faisait également part de ses errances, de ses enthousiasmes déçus. Certes, il ne citait jamais d'énoncés précis, et ne se servait pas de son jargon habituel, mais c'était si secondaire dans son travail. « J'ai déjà une assistante de recherche », eut-il envie de dire à Harriet.

— Écoutez, mon petit, tout le monde peut commettre des erreurs. Surtout moi, ajouta-t-il en éclatant de rire. Il ne faut pas vous frapper comme ça. On va voir ce qu'on peut faire. C'est complètement informel ici, vous savez bien. Il n'y a pas vraiment de hiérarchie. On va vous trouver un petit poste tout ce qu'il y a de bien. Qu'est-ce qui vous plairait, hein, dites-moi Harriet, qu'est-ce que vous voulez faire ?

— *Daddy had warned me !* dit-elle d'une voix tremblotante.

Hortchak leva les yeux au ciel.

— Mon père m'avait dit, reprit Harriet en français, que je ne trouverais rien ici, en France. Il m'avait prévenue que les Français ne savent même pas ce que c'est un CV. Lui, il voulait que je fasse médecine, et moi je n'ai pas réussi à me décider. Après, quand Maman est tombée malade, *il m'a reproché*, il m'a dit que si j'avais fait médecine j'aurais pu la soigner. C'était horrible.

Hortchak ferma les yeux, mais c'étaient ses oreilles qu'il aurait aimé colmater. Plus Harriet parlait, plus son accent américain ressortait. Quand elle en eut terminé avec l'histoire de sa vie, Hortchak crut comprendre qu'elle avait interprété son geste comme un test : il l'avait engagée comme secrétaire pour la mettre à l'épreuve; c'était une méthode pour combattre l'orgueil des chercheurs débutants, elle avait lu un livre sur ce sujet. Elle était tout à fait d'accord avec cette façon de faire, rien de tel que l'humilité dans le travail pour atteindre l'exactitude; la vanité était l'ennemie de la science. Sans demander son avis à Harriet, Hortchak sonna Ingembe à l'interphone. Son jeune collègue était habitué à ce genre de créature; il saurait sans doute mettre à profit les talents de miss Houghton.

Dans le jardin de l'Institut, Gabriel Schwartz, assis au pied d'un arbre, jouait avec une coccinelle. De temps à autre, il levait les yeux vers les fenêtres du bâtiment, se demandant derrière laquelle se cachait le professeur Hortchak. Jabrowski était un dur à cuire, Gabriel n'était pas certain de pouvoir lui faire confiance. « Je l'appelle demain, sans faute », lui avait-il promis. Il était question d'une fête, un anniversaire ou quelque chose comme ça. C'était soi-disant mieux pour une première prise de contact. « Informel », avait dit Jabrowski d'un air joyeux, « complètement informel, c'est parfait. » C'est grotesque, avait pensé Gabriel. Six mois plus tôt, le même Jabrowski avait assuré une bourse de recherche à son protégé, mais le banquier de Gabriel attendait toujours de voir le compte de son client devenir créditeur. Le jeune homme ne faisait pas confiance à ses aînés. Il n'avait jamais connu son père et ne pouvait s'empêcher de tenir tous les hommes qu'il approchait pour responsables de cette désertion. La coccinelle passait inlassablement de sa main gauche à sa main droite. Il souffla sur sa coquille luisante.

– *Lady Bird, Lady Bird*, lui chanta-t-il doucement, *fly away home, your house is on fire, your babies will burn.*

Il ne faut jamais quitter la maison. Les mamans n'ont pas le droit de s'enfuir pour toujours. Longtemps, les talons aiguilles de sa mère avaient poinçonné ses souvenirs de leur petit claquement métallique. Si je t'écrase, pensa-t-il, tes bébés coccinelles ne sauront même pas que tu es morte. Ils penseront que tu les as abandonnés. L'insecte s'envola juste à temps et Gabriel se dit qu'avec la chance qu'il avait il était sans doute tombé sur un mâle.

5

Quelques jours plus tard, Hortchak parvint enfin à se confier à Violette. Chaque matin, il était arrivé chez elle le cœur gros, l'estomac serré, bien décidé à lui faire part des changements opérés dans son service. Elle n'avait pourtant pas failli à l'usage, lui demandant « Quoi de neuf, docteur ? » dès qu'il s'était installé. Mais ses yeux étaient ailleurs. Elle souriait en écoutant les réponses vagues qu'il lui donnait.

Émile aurait eu envie de la secouer, mais il n'osait pas. Peu à peu, il se laissait lui-même gagner par cette humeur étrange ; son front se déridait, ses épaules s'abaissaient et, quelque part, un peu au-dessus de l'occiput, un ronronnement très doux s'installait qui, au lieu de l'agacer, le plongeait dans une sorte d'hypnose. Au moment de partir, c'était comme un éveil douloureux. Dans le bus, il essayait de retrouver la sensation perdue en fermant les yeux, espérant à chaque fois que le ronflement du moteur se substituerait au ronron dispensé par le calme de Violette ; en vain. Il arrivait au bureau les yeux cernés, le crâne dans un étau. En s'asseyant à sa table, il n'avait qu'une envie, poser son front contre ses bras croisés et dormir.

Après son départ, Violette se levait pour aller chercher son encyclopédie du jardinage. Avant de sortir au jardin, elle prenait toujours ses comprimés. Elle repoussait sans cesse au lendemain la suite de son histoire. Parfois, en ouvrant les yeux le matin, elle tombait sur le visage de la poupée de terre et se détournait aussitôt. Nous avons tout le temps, pensait-elle. Cette phrase avait sur elle l'effet d'une prière, ou plutôt d'une bénédiction ; elle était apaisante, elle la rendait innocente et irresponsable.

Au bout de quelques jours, pourtant, la formule magique avait perdu son pouvoir. Violette se sentait coupable. Lorsqu'elle se couchait le soir, deux cachets sous la langue, harassée par le vent qui avait battu ses cheveux et par l'eau qui avait ruisselé le long de ses coudes, elle avait l'impression d'entendre une voix murmurer à son oreille. Elle avalait ses médicaments, fermait les yeux et cherchait le sommeil, bras et jambes tendus, mains tournées vers le plafond. Il n'y a aucun bruit, se répétait-elle. Il fait noir. Je ne vois rien. Je suis fatiguée. Je dors. Mais l'oubli ne venait pas. Violette voyait des petites souris courir sous ses paupières et frissonnait. Elle avait capitulé à la fin de la seconde nuit blanche. La drogue ne réussissait plus à l'endormir, autant arrêter. Sa voix secrète reprendrait ses droits.

En franchissant le seuil ce matin-là, Hortchak sentit immédiatement que la paix avait déserté le pavillon de sa voisine. Elle lui ouvrit la porte avec un bruit sec, puis, sans la refermer derrière lui, se mit à arpenter en tous sens sa cuisine, comme une mouche désorientée qui cherche la sortie. Elle amorçait un geste de la main et son bras retombait le long de son corps. Elle ouvrait la bouche, mais aucun mot n'en sortait. Elle coiffait une mèche du bout de ses doigts et aussitôt les cheveux retombaient sur son front. Hortchak sentit que le moment était venu. Violette ne résisterait pas, car elle était dans un état d'agitation que seul le récit des nouvelles aventures de son voisin serait susceptible de calmer – du moins était-ce l'avis de ce dernier. Pas une seconde il ne se demanda ce qui pouvait causer ce désarroi. Il prenait les humeurs de Violette comme elles venaient, sans leur donner plus d'importance qu'aux lubies d'un enfant.

– Quoi de neuf, docteur ? s'exclama-t-il, trop impatient pour attendre que Violette ouvre le feu.

Elle s'immobilisa un instant, le fixa de ses grands yeux bruns, puis, comme domptée, se laissa tomber sur une chaise et chuchota en écho « Quoi de neuf, docteur ? »

– Pardonnez-moi de vous avoir volé votre réplique, ma chère, j'ai toujours été un peu bruyant pour un souffleur.

Il rougit irrésistiblement en prononçant ces paroles. Violette, le front bas, les yeux dans les genoux, ne remarqua rien.

– J'ai renvoyé ma secrétaire, annonça-t-il.

Violette releva la tête.

– En vérité, je l'ai promue, s'empressa-t-il de préciser.

– Ah, fit Violette, l'air soucieux.

– Elle était surqualifiée. Je l'ai envoyée à Ingembe. Vous savez, le jeune avec des lunettes, celui qui zézaye ? Je ne sais pas trop ce qu'ils fabriquent ensemble, mais ça a l'air de bien fonctionner. Du coup, je n'ai plus de secrétaire !

Il prononça ces derniers mots d'un ton si triomphal que Violette sursauta. Quelle mouche le piquait ? Il était trop content de lui. Elle sentait une menace. Elle craignait qu'il ne s'installe. Elle avait une journée extrêmement chargée, pas de temps à perdre avec les exploits de son voisin. La légère accalmie dont elle avait à peine eu le temps de profiter prit fin. Ses mains recommencèrent à remuer toutes seules et son cœur à battre trop fort, à contretemps et comme au mauvais endroit. Elle dut se lever et se remit à parcourir sa cuisine de long en large. Il ne fallait surtout pas qu'elle relance la conversation. Si elle ne posait pas de questions et qu'elle se donnait l'air assez affairé, Hortchak comprendrait et quitterait les lieux.

– Vous avez de la famille aux États-Unis ? lui demanda Émile. Puis, sans attendre la réponse, il enchaîna. De la famille ou des amis, c'est la même chose. Nous avons tous eu un jour ou l'autre un Américain ou une Américaine dans notre vie, n'est-ce pas ? Ma secrétaire était américaine. Vous savez que, là-bas, ils appartiennent tous plus ou moins à des sectes. Ils ne sont pas catholiques, même pas protestants. Harriet – ma secrétaire, enfin, plutôt mon *ancienne* secrétaire – semblerait parfaitement équilibrée aux yeux de n'importe qui, mais moi, j'ai assez vite compris. Elle doit avoir un héritage familial assez lourd.

Violette ne réagissait pas. Elle allait et venait, ouvrait un placard, le refermait, lavait une casserole propre, passait un coup d'éponge autour des poignées de porte. Qu'il s'en aille, priait-elle silencieusement.

– Je vous en prie, Violette, asseyez-vous ! dit soudain Hortchak. Vous me donnez le tournis à bouger sans arrêt. On dirait ma mère.

Il y eut un long silence. Une faute avait été commise. Ni Violette ni Émile ne connaissait le moyen de repriser un tel accroc. Tout en se grattant le menton, Hortchak pensa que c'était comme s'ils venaient de s'embrasser pour la première fois. Chacun après ça portait en soi la trace du baiser, comme un secret. Les paupières baissées, il tenta de s'imaginer se rapprochant soudain de sa voisine. Je me penche lentement sans qu'elle puisse s'en rendre compte. Je pose mes mains sur ses joues, je fais ployer son cou. Ses paupières se lèvent, ses iris basculent et me disent à la fois oui et non. Mais je vois ses lèvres frémir. Émile, l'homme à femmes. Mon visage tombe lentement vers le sien, comme suspendu à un parachute.

– Violette ! s'écria-t-il soudain. Voulez-vous être ma secrétaire ?

Violette fronça les sourcils. Cette question lui semblait tout à fait déplacée. Elle rougit sans savoir pourquoi. C'est un soir de shabbat. Deux chandelles éclairent la pièce. Personne ne parle. Le père bombe discrètement le torse, la mère marmonne une prière pour ne pas éclater en sanglots. Le jeune homme est venu demander la main de leur fille. Il ne sait comment s'y prendre. Ce n'est pas vraiment nécessaire qu'il dise quoi que ce soit. Chacun dans la pièce connaît son rôle et récite mentalement ses répliques. Ça parle de dot. On fait semblant de dire non alors que l'on pense oui. Tout est arrangé à l'avance. On prétend pouvoir infléchir le cours des choses. Un instant, les regards des jeunes gens se croisent. Leurs yeux brillent. Ils vont se marier. À quelque temps d'ici, sans se connaître davantage que ce premier soir, ils se retrouveront dans une chambre. Ils devront accomplir leur devoir. Comme ce sera incongru et terrifiant. Il vaut mieux qu'ils n'y pensent pas. D'autres l'ont fait avant eux. Le jeune homme boit une gorgée de thé trop chaud et se brûle la langue.

– Alors, ça vous plairait ? reprit Émile.

Violette se mit à rire. Hortchak était enchanté. Tout à sa jubilation, il se frotta les mains en savourant ce plaisir nouveau : demander quelque chose à Violette, lui faire une proposition, c'était exquis. Il ne se serait jamais douté qu'un acte – était-ce même un acte ? – aussi anodin fût susceptible d'éveiller chez lui une joie si profonde. Un territoire vierge s'ouvrait soudain. Il pourrait fouler cette terre inconnue de milliers de façons.

Lorsque Violette refusa, il ne lui demanda pas de justification et n'en conçut aucune amertume. Il faudrait qu'elle accepte l'une ou l'autre de ses demandes, mais le choix était infini et indifférent. Il fit une seconde tentative.

– Voulez-vous m'accompagner à une fête ?

– Quel genre de fête ? demanda Violette, intriguée.

– Une fête à l'Institut. Ils trouvent toujours un prétexte pour faire la fête. La soutenance de thèse de l'un,
la parution du bouquin de l'autre. L'année dernière, ils
ont même réussi à organiser quelque chose parce que
Mireille Augier, la documentaliste, avait enfin eu son
permis de conduire à la cinquième tentative.

Violette hocha la tête, pensive.

– Il faut une tenue particulière ? demanda-t-elle.

– Mais non, qu'est-ce que vous allez chercher ? Ce
sont des trucs de jeunes. Complètement informels.

– Je vais réfléchir, dit Violette. Je ne suis plus si jeune,
vous savez.

Quel âge pouvait-elle avoir ? Vingt-neuf ? Trente-
cinq ? Hortchak n'avait pas envie de le savoir. À peine
se posait-il la question que son cœur se pinçait. Violette
n'avait pas d'âge. Plus le temps passait, moins le nombre
d'années comptait à ses yeux. Il se souvenait qu'enfant,
puis adolescent, chaque anniversaire semblait marquer
une étape décisive. Sept ans, l'âge de raison, treize ans,
l'âge de la moustache, quinze ans, l'âge du premier baiser, dix-huit ans, l'âge du baccalauréat, vingt et un ans,
la majorité. Il ne pouvait déterminer au juste quand les
chiffres avaient cessé d'avoir de l'importance. Peut-être
était-ce autour de vingt-cinq ans, ou alors de trente. À
présent, il fêtait à peine ses anniversaires : un coup de
fil de ses frères, parfois un petit mot de Jabrowski sur
une carte achetée par Sonia. Lorsqu'il était jeune
homme, il s'imaginait que, lorsqu'il aurait atteint l'âge
qu'il avait aujourd'hui, il serait une sorte de vieux monsieur respectable, doté d'une famille nombreuse et de

petits-enfants qui l'appelleraient Pépé et auraient légèrement peur de lui. En vérité, il se sentait aussi proche
d'un grand-père que d'une novice touchée par la grâce.
Il n'avait pas changé. Les photos disaient le contraire,
mais lui savait bien que, dans le fond, à l'intérieur de
l'enveloppe, il y avait toujours le même garçon. En
secret, il n'avait renoncé à rien. Peut-être était-ce la
même chose pour tout le monde ; les différences étaient
affaire de dissimulation. Lorsque Émile regardait Violette, il lui semblait souvent voir la fillette qu'elle avait
été. Lorsqu'il regardait Harriet, il voyait plutôt l'épouse
infidèle mais parfaite qu'elle ferait. Non, il n'y avait pas
de lot commun ; Violette était spéciale. Et lui aussi.

– Comment allez-vous faire ? demanda-t-elle soudain,
la voix chargée d'une compassion réelle.

Elle n'avait plus envie qu'il parte. Elle aimait rire. Elle
regrettait confusément d'avoir refusé sa proposition.
Secrétaire, c'était aussi bien que jardinier.

Comment vais-je faire ? s'interrogea Hortchak en
écho. À quoi aspirait-il à présent ? En six jours, il n'avait
pas avancé d'un millimètre. Après le départ de Harriet,
il avait décidé de réorganiser son bureau. Il avait commencé par changer l'orientation de sa table de travail. Il
n'avait plus le tableau noir devant lui, mais dans le dos ;
sous ses yeux, par-delà les carreaux que M. Pile, l'homme
de ménage, nettoyait tous les deux jours à l'aide d'un
chiffon imbibé d'alcool à brûler, s'étendait la vallée.
L'herbe verte était piquée de fleurettes jaunes. Entre les
troncs d'arbre, on distinguait le lacet sinueux d'une route
gris-mauve. Il aurait suffi de planter un petit chalet de

rondins au flanc d'une des collines indigo qui clôtu-
raient l'horizon pour voir débouler Heidi au milieu
d'une troupe de chevreaux.

Émile avait passé les premières heures de sa nouvelle
vie de chercheur solitaire à contempler ce paysage. Extrêmement concentré, il s'était mis en devoir d'observer les
changements et les mouvements, si infimes fussent-ils,
qui viendraient altérer l'image encadrée dans le chambranle de sa baie vitrée. Lorsqu'une voiture passait, il la
maudissait ; c'était trop gros, cela n'aurait échappé à personne. Ce qu'il traquait, lui, c'était l'envol d'un oisillon,
un souffle de vent arrachant les pétales d'un bouton d'or.
Au bout d'un moment, il avait sorti une feuille de son
tiroir et s'était mis à dessiner. Le désir de représenter ce
qu'il voyait avait éclaté soudain en lui, nécessaire, irré-
vocable. Après avoir tracé trois lignes maladroites, il dut
pourtant renoncer, il était plus malhabile qu'un singe.

— Je veux dire, sans votre secrétaire, reprit Violette,
imaginant que son voisin n'avait pas compris sa question. Comment allez-vous vous débrouiller sans la jeune
fille ?

— Ah, oui ? s'exclama Hortchak, légèrement ahuri. Eh
bien, figurez-vous que je me débrouille très bien sans
elle. C'est étrange, mais depuis qu'elle m'a quitté, le
téléphone ne sonne plus.

Violette fronça les sourcils, sceptique.

— Si, si, je vous assure. J'avouerai même que le premier
jour cela m'a troublé. J'ai échafaudé plusieurs hypothèses à ce sujet : ou bien Harriet appelait mes correspondants et les menaçait des pires représailles s'ils ne me

rappelaient pas ; ou bien mes correspondants ne m'appelaient que pour avoir le plaisir d'entendre sa voix. Il n'y a pas d'autre solution.

— Peut-être que votre ligne est en dérangement, suggéra timidement Violette.

Hortchak chassa cette hypothèse du revers de la main.

— Non, non, impossible. C'est plus attristant que ça. J'ai l'impression d'avoir vécu jusqu'à présent dans un monde d'illusions.

Émile n'avait pas prévu de dire ça. Il avait l'habitude de penser avant de parler, pas le contraire. Quel plaisir incomparable on éprouvait à dire des choses justes. Il se sentait léger, vif, comme régénéré par ses propres paroles.

— Très peu de gens comprennent vraiment le monde, dit Violette.

Hortchak lui sourit.

— D'où sortez-vous ? demanda-t-il soudain.

Violette demeura silencieuse un instant, puis répondit calmement :

— De loin.

La file indienne d'hommes, de femmes et d'enfants marchant dans le désert pendant des siècles se dessinait quelque part dans son souvenir, aussi distinctement que dans son enfance.

— Parfois, ajouta-t-elle, je me demande vraiment ce que je fais là.

— Alors nous sommes de la même famille, dit Hortchak avec un sourire entendu.

Violette secoua la tête.

— L'histoire est de votre côté, fit-elle, les yeux baissés.

Hortchak ne voyait pas ce qu'elle voulait dire. Il aurait préféré qu'elle lui répondît simplement. Des faits, voilà ce qu'il désirait, des noms à mettre sur les choses, des petits drapeaux à planter sur la carte du monde.

— Nous ne sommes que des pantins, lui dit-il pour l'impressionner.

— C'est ce qu'on appelle un cliché, répondit-elle du tac au tac, je me trompe ? Il n'y a pas d'explication, vous comprenez ? Il n'y a rien à dire pour justifier le bonheur des uns et le malheur des autres. Je donnerais cher pour...

Elle s'interrompit soudain, de peur d'aller trop loin. Elle n'était pas prête à se confier. Elle pensait à ses petits comprimés blancs ; elle aurait été sur le point de lui avouer que, pour elle, le mystère du monde s'y trouvait entièrement contenu.

Elle lui sourit en inclinant la tête vers la porte. Émile se leva, les mains tremblantes. Il aurait aimé lui caresser les cheveux, avoir vingt ans de moins et comprendre comment il était possible de se sentir perdu dans un monde si petit.

Lorsque, penchée à la fenêtre, elle entendit le déverrouillage des freins de l'autobus, Violette serra la boîte de comprimés dans son poing puis la jeta à la poubelle. Elle s'assit sur son lit, face à la poupée d'argile, et lui caressa distraitement le sommet du crâne. Sa gorge était douloureuse, comme la première fois, mais elle avait moins peur. À flanc de coteau, la robe trop petite, la silhouette qui s'avance en criant.

En vérité, elle sait ce que lui dit la silhouette. La silhouette est un garçon. Elle sait qui est ce garçon. Elle sait aussi que son père est mort, et quand il est mort. Sa mère lui en parlait, et, au-dessus de sa photo, il y avait deux dates, celle de sa naissance et celle de sa mort. Violette s'était sentie très fière lorsqu'elle avait réussi à les lire, à reconnaître la colonne des milliers, la colonne des centaines, puis celle des dizaines et des unités. Elle se souvient de la mort de son père et de Karmin qui est venu la lui annoncer. Karmin s'est approché d'elle, à flanc de coteau. Les mains dans les poches. Elle riait. Elle se disait, s'il trébuche sur un caillou avec les mains dans les poches, il va tomber tout raide sur le nez. Il lui manquait déjà les dents de devant. Ce n'étaient pas des dents de lait. C'étaient ses dents d'adulte qu'il avait perdues. C'est le tabac, voilà ce qu'il lui avait expliqué, très fier. Il avait dix ans. Quand il n'avait pas une cigarette dans la bouche, c'est qu'elle était derrière son oreille.

On aimait se moquer de Karmin. C'était une source perpétuelle de contentement. On pouvait s'en prendre à ses dents, mais quand on en avait fini avec ses dents, on pouvait enchaîner sur ses yeux, dont un était à moitié fermé, sur ses cheveux, qui étaient une forêt d'épis, sur sa peau piquée de taches de rousseur, sur ses habits, toujours déchirés et salis, sur ses pieds en dedans qui ressemblaient à deux taupes craintives pointant un museau timide hors des chaussures décousues. Il accueillait toutes les remarques de la même manière : un haussement d'épaules, son œil valide levé vers le ciel. Il était maigre, il sentait le fumier, le lait de chèvre et la cigarette. La mère de Violette l'appelait « le pouilleux », Violette l'avait appelé une fois « prince des ténèbres », mais c'était dans un rêve.

Il s'est approché très lentement, et aussitôt elle a eu peur. Plus elle avait peur, plus elle riait. Les cailloux roulaient sous ses semelles lisses. Il ne la regardait pas. La poussière qu'il soulevait à chaque pas faisait comme un nuage de fumée autour de lui. Il a crié le nom de Violette deux fois. Sans lever les yeux vers elle. D'une voix morne, comme si on l'avait obligé, comme si c'était quelque chose qu'il avait appris par cœur et qu'il récitait sans le moindre enthousiasme. Elle reconnaît son nom à présent, mais elle n'est pas sûre de l'avoir saisi à l'époque. Les mots n'avaient pas la même valeur qu'aujourd'hui. Lorsqu'elle était petite, la plupart des mots étaient des cris qui n'avaient pas beaucoup plus de sens que le langage des chèvres. Elle a crié elle aussi. Elle a dit « Pouilleux, salut le pouilleux ». Elle ne l'avait jamais appelé ainsi. Pourquoi les mots de sa mère sont-ils venus se mettre dans sa bouche ? Elle ne sait pas. Il a haussé les épaules. Elle a ri encore plus fort. Arrivé à un mètre d'elle, il a dit : « C'est ton père, il est mort. » Non, il n'a pas dit ces mots-là puisqu'il l'a dit dans leur langue. En français, ça n'a rien à voir. En français, ça ne fait pas mal du tout. Elle entend les mots, dans leur langue, mais elle ne peut les dire. Elle a la gorge serrée, envie de pleurer. Il a dit ça sans la regarder et elle a répondu aussitôt : « Et ta mère, tu sais avec qui elle couche, ta mère ? Elle couche avec Berzia. » Elle ne savait pas ce qu'elle disait. Elle répétait quelque chose qu'elle avait entendu. Elle ne sait même plus qui l'avait dit. Elle l'avait entendu, et en même temps elle savait que c'était vrai, et c'est pour ça que c'était affreux de l'avoir dit. Karmin n'a pas haussé les épaules. Son œil est resté fixe.

Les larmes se mirent à rouler sur les joues de Violette. Elle s'allongea sur son lit, les laissant couler jusque dans ses oreilles, et s'endormit. Lorsqu'elle se réveilla, il était une heure de l'après-midi.

— Hortchak ?

— Lui-même.

— Violette Opass à l'appareil.

Le cœur d'Émile se serra.

— Vous avez eu pitié de moi ? demanda-t-il.

— Comment ça ? dit Violette.

— Je vous ai dit que plus personne ne m'appelait, alors vous avez fait un petit effort.

— J'ai fait un énorme effort, rétorqua-t-elle brusquement. Ça fait une heure que je cours après votre numéro. Aux renseignements, le type m'a traitée de paranoïaque ; je vous assure que je n'ai pas besoin de ça, surtout en ce moment.

— Nous sommes dans l'annuaire, dit Hortchak.

— Qui ça, *nous* ? Vous vivez en communauté ou quoi ?

— Vous avez appelé l'Institut, Violette. Comment avez-vous fini par obtenir le numéro ?

— Magie noire, répondit Violette. Ce ne sont pas vos oignons.

On frappa à la porte à cet instant, et Ingembe fit son entrée dans le bureau d'Émile. Le jeune homme s'installa dans un fauteuil, après avoir reçu l'autorisation muette de son supérieur hiérarchique, et se mit à faire craquer les articulations de ses mains et de ses poignets.

— Puis-je savoir ce qui me vaut le plaisir de vous entendre ? demanda Hortchak d'un ton affecté.

Si on lui avait fait remarquer qu'il avait entièrement changé sa manière de parler depuis qu'Ingembe était entré dans la pièce, il se serait emporté. Il estimait être un homme mûr, bien dans sa peau, qui n'avait de comptes à rendre à personne, surtout pas à un zézayeur imberbe comme Ingembe.

Violette, qui ne connaissait pas la véritable raison de ce bouleversement d'intonations, se détendit. Elle aimait les formules de politesse. Sans s'en douter, elle était la première à être dupe de l'obséquiosité ; à ses oreilles, cela dépassait de loin l'ornement, c'était la musique même de la langue.

— Je vous appelle au sujet de votre proposition, dit-elle après un moment d'hésitation.

— Parfait, parfait, parfait ! s'exclama Hortchak, en faisant un signe indéchiffrable à son jeune collègue ; il ne savait pas lui-même ce qu'il aurait voulu exprimer par ce moulinet vague de la main.

Ingembe ne tiqua pas. Il mit son doute concernant les intentions de son patron sur le compte de sa propre distraction. Il avait depuis longtemps pris l'habitude de ne comprendre qu'une partie infime des choses qui se disaient ou advenaient. Il était face à la réalité comme devant un iceberg : il savait pertinemment qu'il manquait les neuf dixièmes du spectacle, mais que faire ? L'eau était glacée.

— C'est d'accord, dit Violette.

— Vraiment ? demanda Hortchak, qui, sur le coup — il en serait mort de honte —, avait oublié à quoi sa voisine faisait allusion.

— Je serais enchantée de vous accompagner à la réception dont vous m'avez parlé.

Prononcer cette phrase était aussi voluptueux que de glisser un pied dans la pantoufle de vair.

— Excellent, répondit Hortchak.

— Nous en reparlerons demain, alors ? dit timidement Violette, impressionnée par l'assurance, et même le brio, avec lequel Hortchak menait la conversation.

— C'est cela, Violette, je vous salue.

Dès qu'il eut reposé le combiné téléphonique, Hortchak rougit du haut de la poitrine jusqu'à la racine des cheveux. Ingembe ne remarqua rien, il était entièrement absorbé par la dernière phalange de son médius droit qui refusait de craquer.

Je l'ai envoyée paître, se dit Hortchak en se prenant la tête dans les mains. C'est la première fois qu'elle m'appelle — ça compte, un premier coup de téléphone, dans une époque moderne comme la nôtre — et moi, je ne trouve rien de mieux à faire que d'abréger la conversation avec des « parfait » et des « excellent ».

Soudain il toussota, affolé. Venait-il de parler tout seul ? Ingembe l'avait-il entendu ?

La phalange récalcitrante craqua et Ingembe redressa la tête, un sourire postcoïtal aux lèvres.

— Je ne vous dérange pas ? demanda-t-il en regardant le téléphone.

— Pas du tout, répondit Hortchak, rassuré. Comment ça va chez vous ? Efficace, la petite Harriet ?

— Oui, c'est une fille très douée. Beaucoup d'intuition.

Ingembe baissa les paupières et se masqua légèrement la bouche avant de poursuivre.

— Elle a souffert... Enfin, je n'en sais rien, mais ça se sent. C'est une personne qui a vécu. Vous voyez ce que je veux dire ?

Hortchak, qui n'écoutait pas, hocha vigoureusement la tête.

— Vous auriez peut-être dû la garder, enchaîna Ingembe. Je suis sûr qu'elle aurait pu optimiser son potentiel dans votre domaine aussi bien que dans le mien. En fait, je voulais m'assurer que vous n'aviez aucun regret.

Comme le visage d'Ingembe semblait interrogateur, Hortchak déduisit que le jeune homme devait lui avoir posé une question. Il aurait été bien en peine d'y répondre, car il n'avait pas saisi un seul mot depuis qu'il avait raccroché. Il prit un air songeur, pensant que son silence pousserait Ingembe à formuler de nouveau sa demande. Les deux hommes ne partageaient sans doute pas le même code, car Ingembe se leva, comme si son fauteuil avait soudain pris feu, et se dirigea vers la porte.

— Je crois que je comprends, dit-il, furieux, avant de disparaître.

Pauvre Harriet, pensa-t-il en longeant à grands pas le couloir qui reliait les deux services, amoureuse de ce vieux con.

Dans sa tête, Ingembe ne zézayait jamais. En pensée, il pouvait qualifier Hortchak de vieux con. En rêve, il emportait Harriet loin de ce bourreau des cœurs pour lui faire découvrir l'amour, le vrai.

Le coup de foudre absolu. Il l'avait croisée plusieurs fois entre deux portes de bureau, mais lorsqu'elle avait pénétré dans le sien, lorsqu'elle lui avait dit qu'elle était envoyée par Hortchak pour l'épauler dans ses entretiens et faire un stage de psychomotricité du nourrisson, lorsqu'il avait levé les yeux de sa paillasse et contourné la pile de dossiers qui s'élevait depuis le sol jusqu'à sa taille, il s'était passé quelque chose de magique : il l'avait regardée. Ils partageaient le même bureau depuis une semaine. Dans quelques jours, les travaux seraient achevés au premier étage, et Harriet le quitterait pour aller s'y installer. Mais, pour l'instant, elle était toute à lui et Ingembe était heureux. Il n'avait pas l'habitude de regarder les femmes, pas plus que de regarder qui ou quoi que ce fût d'autre. Il était marié depuis deux ans avec un mannequin, mais il lui avait fallu lire l'envie dans le regard de ses collègues pour découvrir que son épouse était d'une beauté exceptionnelle. Toutefois, cela ne représentait rien de plus pour lui que la position d'un pion sur un échiquier lorsqu'on ne sait pas jouer. Il n'aurait pas nié, malgré tout, qu'il avait pris un certain plaisir à voir les seins de sa compagne enfler ces derniers mois. Elle était enceinte. Quelle surprise !

En sortant de chez Hortchak, il essaya de se représenter l'embryon dans son habitacle. C'est alors qu'il heurta de plein fouet Harriet qui sortait à reculons de leur bureau. Elle se retourna, confuse, et il s'excusa, bafouillant, de la salive plein la bouche, ses grandes mains s'agitant comme les manches remplies de foin d'un épouvantail.

— J'ai retrouvé des vieux dossiers qui pourraient intéresser le professeur Hortchak, dit-elle. Je vais les lui porter.

Elle ne pensait qu'à lui. Il fallait toujours qu'elle lui écrive un petit mot, qu'elle lui rappelle ci ou ça. Ingembe secoua la tête, un demi-sourire aux lèvres. Il avait souvent un métro et même plusieurs de retard, soit, mais il n'était pas idiot, cette femme était amoureuse. Il gagna sa table, écouta jusqu'à ne plus l'entendre le claquement des talons sur le carrelage, et se demanda ce qu'il allait devenir. Il ne quitterait pas sa femme ; il n'avait rien à lui reprocher, mais peut-être serait-ce elle qui partirait — une fois l'enfant né par exemple. Oui, pourquoi pas ? Tout n'était pas si noir.

6

Hortchak remercia à peine Harriet lorsqu'elle déposa la pile de feuillets sur son bureau. Qu'est-ce qu'ils avaient, ces jeunes, à venir rôder autour de lui ? N'avaient-ils rien de mieux à faire ? Lorsqu'il fut seul de nouveau, il tenta de se rappeler pourquoi Ingembe était passé. Que lui avait-il demandé ? À quoi bon se torturer ? Si c'était vraiment important, il reviendrait la charge. Il en avait assez de cette agitation, de ce papillonnement incessant de jeunes prodiges. Quelle idée il avait eue d'accepter la direction de cet Institut. L'université avait été si bonne avec lui, une grand-mère pleine d'indulgence qui ne reprochait jamais à ses rejetons de perdre leur temps à taper cinq fois la même bibliographie, et les étudiantes aussi tartes que fraîches qui confondaient relatives et complétives et s'excusaient en riant avec un regard fripon par en dessous. Le prestige l'avait attiré.

Quelle réussite ! La femme qui occupait ses pensées le prenait pour un médecin défroqué. Et ce goujat, ce petit merdeux que lui avait envoyé Jabrowski, à peine avait-il pris connaissance de ses notes, qu'il l'avait appelé pour l'informer que, bien qu'obsolètes, ses réflexions étaient admirablement formulées. Schwartz Gabriel, c'était clair, n'attendait qu'une chose : reprendre la boutique. Il avait de quoi. Son petit laïus concernant les apports du pragmatisme à l'énonciation avait suffi à le démasquer. Si c'est ma place que tu veux, petit Mozart à la noix, pensa Hortchak, je te la donne. Ce n'est pas la peine de miser sur le viager. Je suis si fatigué que c'est comme si j'étais mort. Je vais lui donner mes derniers brouillons et je vais le charger de finir mon bouquin pour moi. Tout le monde sera content et je pourrai partir en croisière avec ma petite voisine.

Le regard plongé dans la prairie, Émile s'efforçait d'imaginer Violette dans la salle de réunion transformée en salle des fêtes à chaque occasion. Violette, un verre de champagne à la main, Violette parlant avec l'intendante, Violette dansant avec Ingembe, Violette toisant Harriet, Violette reine de la soirée, faisant passer les petits fours, ayant un mot aimable pour chacun, Violette comme son épouse, cette fête comme le baptême de leur premier enfant. Le seul détail qui clochait était l'accoutrement de sa voisine : il ne parvenait pas à se la représenter autrement qu'en chemise de nuit ou en pantalon de velours et bottes en caoutchouc. Il aurait peut-être dû lui donner une ou deux indications lorsqu'elle lui avait demandé s'il fallait une tenue particulière. Il aurait pu répondre : « Non, rien de spécial, une robe toute simple et un collier. » Sans s'en apercevoir, il se laissait gagner par l'inquiétude. Violette ne faisait pas partie de son monde, et ce n'était pas simplement une question de bottes en caoutchouc. Il n'aurait su dire si elle valait mieux ou si elle n'était pas au niveau.

La première fois qu'il avait amené une petite amie chez lui pour la présenter à sa famille, il avait eu honte de sa mère. Après une heure épouvantable passée autour d'une tasse de thé à émietter des biscuits maison sans parler, il l'avait haïe d'être ce qu'elle était : une ménagère timide dont les pâtisseries, délicieuses, donnaient toujours – il ne savait pourquoi – l'impression d'avoir été légèrement piétinées. Il avait haï Véronique Frachet, son amie, encore davantage, parce qu'il ne pouvait lui pardonner de faire apparaître, par sa seule présence, si juvénile, si propre, si française, sa mère sous ce jour pour le moins calamiteux. Il n'avait jamais renouvelé l'expérience. Trente-cinq ans plus tard, il n'était toujours pas marié et sa mère était morte depuis un bon bout de temps. Il se sentit soudain coupable.

Jusqu'alors, il avait toujours choisi ses amies contre sa mère. Quand il faisait l'amour, il s'amusait à se représenter son visage, les paupières closes, les traits crispés, laissant échapper un « tss-tss » choqué entre ses lèvres minces. Pourtant, il s'en rendait compte tout à coup, sa mère n'était pas vierge, elle partageait avec lui le secret de la sexualité. D'ailleurs, une femme, même vierge, se dit-il, en sait toujours beaucoup plus long sur ces affaires que n'importe quel noceur. Véronique Frachet, par exemple, n'avait pas semblé effarouchée lorsque, pendant une séance de cinéma, il avait glissé la main sous sa jupe ; chez lui, en revanche, ce geste avait suffi à provoquer une émotion si puissante qu'il l'avait aussitôt interrompu de peur d'aller trop loin. Les femmes étaient blasées ; toutes des sorcières.

Véronique Frachet avait été la première d'une longue série de planches à pain distantes, guindées, aux grands yeux clairs, aux longues jambes maigres, au ventre plat, aux hanches de garçonnet, aux voix aiguës et nasales de filles de famille élevées dans des instituts catholiques et vivant dans les banlieues chic. Vanessa, la dernière en date, lui avait offert une épingle à cravate en or comme cadeau de rupture ; il s'en servait pour sceller les paquets de chips entamés ; il n'aimait pas les bijoux. Sa mère, à la fin de sa vie, faisait une consommation invraisemblable de chips. Quelle association d'idées stupide. Émile claqua du plat de la main sur son bureau. La mouche qu'il avait visée s'était envolée juste à temps. Il prit une feuille de papier et se mit à tracer des cercles ; des petits, des moyens, des grands, à main levée, ou très lentement, en retenant sa respiration. Violette ne ressemblait pas aux autres, mais Violette n'était pas comme sa mère : elle parlait français sans accent, ne portait pas de tablier pour cuisiner, ne couvrait pas ses cheveux d'un fichu et ne proposait pas des biscuits maison dès qu'un nouveau venu franchissait le pas de sa porte. Violette était une femme moderne. Elle viendrait à la réception vêtue d'une robe parfaitement appropriée, elle avait la télévision, elle connaissait le monde. Sa mère aussi avait la télévision. Elle ne la regardait jamais, mais le poste restait allumé en permanence, par politesse – pensait Émile – envers les gens qui défilaient sur le petit écran.

Sa mère à sa soutenance de thèse. Plus petite encore que d'habitude, le fichu de travers couvrant sa tête jusqu'au milieu du front, la robe qu'elle avait portée au mariage de Francine et Gilbert quinze ans plus tôt qui la moulait terriblement. Ce n'est rien, je n'enlèverai pas mon manteau. Et voilà, elle suait à grosses gouttes à cause du manteau.

« Alors, Hortchak, vilain garçon, avait dit Jeanine Van Osselvet, un des membres du jury dont il était éperdument amoureux, votre mère me dit que vous lui avez interdit d'apporter ses biscuits maison pour le pot. »

Il avait fui les grands yeux verts pour laisser son regard échouer sur l'ourlet de la jupe. Les chevilles du professeur lui avaient coupé le souffle.

« Une femme très comme il faut, lui avait glissé sa mère à l'oreille après que Van Osselvet les avait quittés en recommandant à Mme Hortchak de bien veiller sur son petit poussin. »

Tu ne vois pas qu'elle te méprise ? avait pensé Émile. Comment veux-tu qu'on me prenne au sérieux, si tu me colles aux basques avec ton manteau de fourrure mal coupé et tes gros pieds fatigués ?

« Ma pauvre maman, tu dois être épuisée, avait-il fini par dire, veux-tu que je te raccompagne ? »

Zelda avait hoché la tête, un sourire naïf aux lèvres. Ils avaient marché jusqu'à l'arrêt du bus en se tenant par le bras, sous un soleil étincelant, le jeune homme maigre en costume sombre et la grosse dame lasse au fichu de travers. Émile n'avait jamais été aussi triste.

Face à sa penderie, Violette dansait d'un pied sur l'autre. Elle n'aimait pas les armoires. Les vêtements pendus lui faisaient peur ; ils ne manquaient jamais de lui évoquer les sept femmes de Barbe-Bleue, égorgées dans le petit cabinet. Lorsqu'elle passait le bras entre deux robes, elle craignait toujours de rencontrer une autre main cachée parmi les étoffes. Un squelette dans le placard, pensa-t-elle. Elle savait que cette expression désignait la maîtresse ou l'amant de vaudeville, mais chaque fois qu'elle lui venait à l'esprit – ce qui arrivait souvent – elle ne pouvait s'empêcher de lui donner une autre signification. Pendant des années, la main qu'elle avait eu peur de rencontrer dans le fond de son armoire avait été celle de Tal. Si elle s'était attardée sur cette appréhension, elle aurait été obligée de s'avouer qu'elle côtoyait l'espoir. Elle n'avait pas eu le temps de bien connaître son corps, elle se représentait pourtant parfaitement la couleur et la texture de ses os. Les hommes droits ont un squelette blanc de lait, solide et tendre comme le cœur d'un tronc d'arbre.

À présent, une autre main se tendait vers elle dans l'ombre des robes pendues. La main de son époux jaillissait du néant pour la rassurer. La main de sa mère tendait vers elle ses griffes pour l'emporter de l'autre côté. Elle aurait aimé parler de ces étreintes magiques, mais elle se méfiait. Les gens l'auraient trouvée folle et l'auraient fuie, elle et ses pensées morbides. Je ne suis pas folle et je ne suis pas morbide, se dit-elle, j'accepte simplement de voir des choses que n'importe quel enfant voit et que les adultes font semblant d'ignorer.

Savoir quelle robe elle allait mettre pour la réception à l'Institut n'était pas une question futile. On n'était jamais innocent lorsqu'on enfilait autre chose que les vêtements qui vous tombaient sous la main. Violette n'aimait pas choisir. Violette n'aimait pas se rappeler combien elle avait été coquette. Ce mot, rien que l'agencement des syllabes, lui déplaisait. Lorsque Tal avait été porté disparu, elle aurait aimé découper toutes ses robes en morceaux et prendre le voile. Mais elle n'était pas catholique. Mme Hazan, une amie de sa mère qui était très religieuse, portait une perruque, un fichu par-dessus sa perruque, une jupe longue, un jupon par-dessous, un chemisier, une chemise de corps sous le chemisier et un châle par-dessus tout ça. Violette ne comprenait pas en quoi cette surenchère vestimentaire la rendait plus proche de Dieu. Il lui semblait – elle en serait morte de honte, et ne l'avait jamais dit à personne – que les chrétiens marquaient un point avec leur robe de bure. Plus nu, plus pur, plus près de l'essentiel. L'ennui, c'est qu'elle ne croyait plus en Dieu.

Elle avait essayé plusieurs fois d'y recroire. Elle se trouvait ridicule d'avoir décidé qu'Il n'existait pas sous prétexte qu'Il n'avait pas exaucé ses prières. Pendant trois mois, entre le moment où Tal avait été aperçu pour la dernière fois et le jour où l'on avait fait graver son nom sur le monument à la mémoire des soldats tombés pendant la guerre du Kippour, elle avait fait la même prière, sans arrêt. Au bout d'un moment, elle priait même en dormant. Dieu, ton œil qui voit tout voit Tal, guide-le vers moi. Tandis qu'elle assistait à la cérémonie mortuaire, elle s'était répété cette phrase une dernière fois et avait été stupéfaite par sa sonorité. Elle avait porté la main à sa bouche, ne sachant si elle allait rire ou pleurer. Voit tout voit Tal. Dieu n'exauçait pas les prières en charabia. Et comme Il n'existait pas, c'était égal. Finalement, ce n'était pas tant le fait qu'Il ne lui eût pas rendu son époux qui discréditait Dieu aux yeux de Violette. Après qu'on lui eut annoncé que Tal Opass était tenu pour mort, elle croyait encore en Dieu. Elle s'en souvenait à présent. Elle avait même eu l'impression de sentir au-dessus de sa tête le gros œil cligner gentiment.

C'était un enterrement impossible : il n'y avait pas de terre, pas de linceul, pas de corps, des militaires partout, une large pierre couverte de noms inconnus, et sa mère qui la poussait dans le dos comme pour l'encourager à dire bonjour à tout le monde. Voit tout voit Tal. Le soleil, les graviers qui crissaient, le chant des oiseaux incroyablement gai et un discours d'une solennité accablante, dans une langue que Violette n'arrivait plus à parler et ne voulait pas comprendre. Dieu est quelque part, on ne sait où, s'était dit Violette. Tal est quelque part, son corps est obligatoirement quelque part, on ne sait où. Elle ne pouvait faire autrement, il fallait qu'elle décide que ce *où* n'existait pas. Tal avait fondu dans sa mémoire et Dieu avait été englouti dans le même tourbillon de néant. En y réfléchissant à présent, elle se demanda si elle n'avait pas tout simplement réinventé le paradis. Non. Ce n'était pas ça. Le paradis, c'était là où était sa mère et il n'y avait de place pour personne d'autre.

Ça ne servait à rien d'y passer la journée, Violette savait qu'elle n'aurait jamais le courage de glisser sa main dans l'ombre des tissus ; pas aujourd'hui.

Lorsqu'elle entra dans la boutique – Chez Myrène prêt-à-porter –, elle se sentit aussi intimidée qu'un touriste pénétrant en maillot de bain dans la chapelle Sixtine. Le regard que lui jeta la vendeuse n'était pas différent, pensa-t-elle, de celui que le pape aurait porté sur le vacancier égaré.

– Je peux vous aider ? demanda sèchement la jeune femme maigre au décolleté désertique, sans cesser de mâcher son chewing-gum.

– Je voudrais une robe, répondit Violette avec un aplomb inattendu.

– Quel genre ? demanda la fille en tripotant les cintres.

– Pas de noir, dit Violette.

La vendeuse leva les yeux au ciel. Elle toisa Violette d'un regard neutre.

– 38, un bon 38, je dirais.

Violette se tourna pour regarder la rue ; une manière de vérifier que le monde continuait d'exister.

– J'ai ça, dit la vendeuse en décrochant du portant une robe en panne de velours pourpre. Ça vous irait bien, ajouta-t-elle sans enthousiasme.

– C'est un peu..., commença Violette, un peu trop...

– Un peu trop habillé ? soupira la fille en replaçant le cintre.

Non, pensa Violette, un peu trop moche.

Elle suivit du regard la rangée de vêtements, espérant que l'un d'eux lui ferait signe. Elle pointa un index hésitant vers quelque chose de légèrement scintillant.

– La Diva ? s'écria la fille. Pourquoi pas. Si vous voulez bien passer en cabine d'essayage.

Une fois le rideau fermé, Violette comprit que Diva était le nom du modèle qu'elle avait choisi ; c'était écrit sur l'étiquette. Le haut était en jersey, un mélange de bronze et de vert piqué de petites étincelles argentées. Des manches longues et ajustées, un col rond qui découvrait les clavicules ; juste sous la poitrine, une jupe faite de panneaux vert, bronze et noir en mousseline de soie, qui s'arrêtait au-dessus du genou.

– Très actuel comme modèle, cria la vendeuse depuis la boutique, d'une voix où perçait un ennui profond.

Violette enfila la robe et s'y sentit immédiatement chez elle. Elle avait un joli cou et des attaches très fines. C'était exactement ce qu'il lui fallait.

Lorsqu'elle sortit de la cabine d'essayage pour se voir dans le miroir en pied, la vendeuse posa sur elle le même regard incrédule et idiot que celui des sœurs de Cendrillon découvrant la souillon en robe de bal. Jambes et pieds nus, Violette se mirait, déguisée en feuille d'olivier.

– Ça vous va bien, finalement, dit la vendeuse, déçue.

– C'est combien ? demanda Violette, consciente que l'expression était mal choisie.

– Huit cent cinquante francs, dit la fille d'un air détaché.

C'était beaucoup trop cher, mais Violette ne voyait aucun moyen de reculer.

— Vous la prenez ? demanda la vendeuse, qui, en bonne professionnelle, savait lire dans les silences de ses clientes la menace d'une affaire manquée.

Violette tourna sur elle-même pour tenter de se voir de dos. Elle n'avait jamais su user de mauvaise foi et il en aurait fallu, de toute évidence, pour reprocher quoi que ce soit à ce vêtement. Elle hocha la tête et sentit aussitôt un poids terrible s'abattre sur ses épaules.

Tandis qu'elle se déshabillait, la vendeuse actionna bruyamment sa caisse enregistreuse. Sadique, pensa Violette. Je ne la porterai jamais, se dit-elle pour se punir.

Lorsqu'elle tourna le coin de sa rue, elle aperçut, plantée devant sa porte, Véronique, la nouvelle infirmière. Elle lui tournait le dos. Les pieds légèrement écartés, elle semblait peser de tout son poids sur ses grosses jambes, dans un effort têtu visant à lui faire prendre racine. En version muette, Véronique se refaisait son cours de transe énergétique du matin. Je sens mon bassin au-dessus de mes chevilles, puis je monte le long de ma colonne vertébrale jusqu'aux épaules. Je sens mon crâne. J'imagine que mon corps est parcouru de tuyaux. Je redescends lentement le long de ces tuyaux jusque dans la terre. Je vais chercher dans la terre l'énergie vitale. Je la fais remonter dans mes chevilles, dans mes genoux. Elle tourne dans mon ventre, elle inonde mes poumons. Au moment où elle arrive à la base de mon crâne, je lâche tout. Violette avança silencieusement dans le dos de l'infirmière. Véronique lâcha tout. Un petit pet sonore lui échappa. Violette, ravie, lui tapa sur l'épaule.

— C'est moi que vous attendez ? lui dit-elle.

L'infirmière sursauta et rougit.

– Je... J'avais... Il fait frisquet, bredouilla-t-elle.

Violette fouilla dans son sac à la recherche de ses clés. Un sourire victorieux lui monta aux lèvres.

– Entrez, je vous en prie, dit-elle en ouvrant largement la porte.

Véronique la précéda et heurta au passage le chambranle du coin de sa mallette.

– Pardon, dit-elle à la porte.

Violette posa ses affaires en sifflotant et proposa un café à son invitée.

– Non, je vous remercie, dit celle-ci. C'est très mauvais pour les nerfs. Vous n'en buvez pas, j'espère. Dans votre état..., ajouta-t-elle pour regagner du terrain.

– Au point où j'en suis, lui répondit Violette.

Elle mit de l'eau à chauffer dans sa cassolette en cuivre et sortit son café moulu fin-fin du placard.

– Vous ne devriez pas, insista Véronique. C'est dangereux. Vous pourriez rechuter.

Violette lui fit le petit sourire de cinglée auquel elle s'était exercée devant son miroir pendant son séjour à Berthollet.

– Moi, ce que j'en dis, poursuivit Véronique, désarmée, en ouvrant sa mallette.

– Alors, dit Violette sans quitter son café des yeux. Qu'est-ce que vous m'avez apporté de beau aujourd'hui ? De nouvelles petites gélules ?

Comme l'infirmière ne répondait rien, Violette prit soudain peur. Si elle allait trop loin, elle risquait un nouvel internement. Elle s'assit et regarda les grosses mains rougeaudes de Véronique sortir le tensiomètre, une planche à écrire, un stylo, un ordonnancier et deux boîtes de médicaments. Elle se leva pour prendre une tasse et se demanda combien de temps l'infirmière resterait muette. Elle se rassit et versa son café. Le bruit qu'elle fit en avalant le liquide brûlant lui parut résonner comme un coup de tonnerre. Son estomac poussa en contrepoint un petit gargouillis.

Véronique leva ses yeux sans cils et la fixa, le menton légèrement en avant, les épaules très droites. Violette eut l'impression d'entendre la chaise crier sous le poids de l'infirmière. Depuis l'avenue, le bruit caractéristique du déverrouillage des freins de l'autobus lui parvint. Quelque chose en elle se brisa et elle sentit les larmes lui monter aux yeux.

— Voilà, dit Véronique en posant une troisième boîte de médicaments à côté des deux autres. Des réserves, ajouta-t-elle, du ton satisfait d'un procureur qui demande la perpétuité.

Violette reposa sa tasse et tendit docilement le bras pour se faire prendre la tension.

— Pas brillant, brillant, dit Véronique en laissant échapper l'air du tensiomètre. Praxinor ! s'exclama-t-elle en avançant vers Violette une des boîtes de médicaments.

Véronique était ravie d'avoir été si prévoyante. Elle était capable de diagnostiquer une anémie d'un simple coup d'œil ; il lui était même arrivé de discerner des spasmophilies là où Vitrier avait opté pour des troubles digestifs. Elle méprisait un grand nombre de personnes et tirait de ce sentiment un orgueil proche de celui du chasseur de primes qui marque d'une encoche, sur la crosse de son revolver, tous les salopards qu'il a descendus.

— Un par jour, dit-elle en écrivant sur la boîte. Les gélules bleues et vertes, ajouta-t-elle, seulement en cas de vertiges. Les comprimés blancs, un quart le matin, un quart à midi et deux au coucher.

— Je n'ai pas de vertiges, murmura Violette.

Véronique leva les yeux au ciel et poussa un long soupir.

— C'est qui le docteur ici ?

Il aurait été si facile de répliquer : « Ni vous, ni moi. Vous n'êtes qu'une petite infirmière de rien du tout » ; mais Violette s'en sentait incapable. Elle se demanda ce qui chez elle la poussait si tôt à capituler. Elle avait l'impression d'être un château de sable constamment menacé par une marée montante. Hauts les contreforts, profond le fossé, bien tassés les flancs, loin les petites vaguelettes, et soudain, en un rien de temps, l'eau gagnait du terrain, léchait les fondations, caressait les murailles et enveloppait l'édifice. Silencieusement, avec lenteur et obstination, dans une danse où l'entêtement pouvait passer pour de la tendresse, une vague venue du fond de l'océan embrassait irrésistiblement la plus haute tour.

Violette ferma les yeux et pensa à Hortchak. Le bras d'Émile enlaça son épaule.

— Allez donc vous coucher, lui ordonna Véronique, vous avez l'air toute fiévreuse. Je repasserai.

Violette la reconduisit à la porte et obéit.

Elle rêva d'une piscine emplie d'enfants qui l'appelaient et la montraient du doigt en riant. Dans sa nouvelle robe, elle grimpa sur le plongeoir, prit quelques pas d'élan, se laissa rebondir trois fois sur la planche souple et effectua un saut périlleux, s'envolant dans les airs et retombant en vrilles lentes pour se rendre compte juste au moment de toucher l'eau que la piscine était vide.

Elle s'éveilla en sursaut à la nuit tombée, et se redressa en s'appuyant sur les coudes. Ses bras tremblaient sous son poids. Elle essaya de se lever, mais ses jambes ne la portaient pas. Sa tête retomba sur l'oreiller et ses yeux, pleins de larmes, se fixèrent sur le téléphone qui luisait faiblement dans l'obscurité. Un mur se dressa autour de son lit. Elle se prit la tête dans les mains et les serra contre ses tempes. Ne pas penser. Ne pas se dire, ne pas répéter la phrase qui résonnait dans son esprit : « Il n'y a plus personne qui pense à moi. »

7

Les pieds sur la table basse, Émile buvait un whisky à petites gorgées. Il avait froid. Posant son regard embué sur un plaid en mohair qui recouvrait le sofa, il essaya de le convaincre de voler jusqu'à lui pour le réchauffer. Il laissa tomber ses jambes de chaque côté du guéridon et s'étira longuement. Ce faisant, il renversa quelques gouttes d'alcool sur le dossier de son fauteuil. Je vous bénis, amen, amen, amen, amène-toi ! s'écria-t-il à l'intention du plaid. Il éclata de rire. En titubant, il s'approcha de la fenêtre et essuya la buée qui recouvrait le carreau. Des flocons de neige serrés tourbillonnaient dans le cercle noir dessiné par sa main. Il se perdit dans la contemplation de leur chahut aléatoire.

Au bout d'un moment, son regard de presbyte se fatigua et s'en alla vaguer plus loin dans l'obscurité piquée de points blancs. À une cinquantaine de mètres de là, une fenêtre s'illumina. Mme Éloi va aux waters, se dit-il en se grattant le menton. De l'autre côté du verre dépoli, une silhouette s'animait. M. Éloi a décidé de prendre une petite douche avant de se coucher, ou alors c'est

Garry, leur grand fils boutonneux, qui va fumer dans la salle de bains pendant que ses parents regardent les variétés. Hortchak connaissait les noms et prénoms de tous les habitants de l'impasse. Il n'en retirait pas la moindre fierté; sa curiosité et sa mémoire maladive se conjuguaient sournoisement pour faire entrer dans son esprit des milliers de détails comme ceux-ci. Il se laissa tomber sur le sofa et étreignit la couverture. Une chanson monta à ses lèvres, *I get misty just holding your hand*. Fermant les yeux, il vit se dessiner la petite scène ovale sur laquelle il avait vu Irina pour la première fois. Ses jambes noires dessinaient toutes les lettres de l'alphabet et faisaient scintiller dans l'ombre les paillettes de ses collants. Son bassin tanguait à peine, creusant ses reins, faisant trembler sa poitrine haute et blanche. Ses yeux toujours fermés s'ouvraient une seconde pour laisser fuser un trait bleu sous les faux cils. Les boucles de ses cheveux blonds n'étaient pas lissées, comme c'était la mode à l'époque; elles sautillaient sur son front comme les accroche-cœurs innocents d'un bambin. « *Je suis une poupée qui danse et qui chante* », lui avait-elle glissé à l'oreille quand il était venu la retrouver dans sa loge, après la représentation. Cette révélation l'avait mis mal à l'aise, de même que son maquillage outrancier sous le néon du miroir. Quelque chose clochait dans son costume de cocotte. Il n'aurait su dire ce que c'était. Il était gêné. Il avait toujours rêvé *se taper* une danseuse. Le problème, c'est qu'elle n'était pas vulgaire et que, brusquement, face à elle, il s'était senti affreusement grossier. Elle portait un imperméable en toile cirée noire, serré à la taille, par-dessus son justaucorps. Ils avaient marché dans la nuit. Elle ne parlait pas. Elle fumait et riait toute seule en agitant la tête. Elle se faisait passer pour une femme d'expérience et, en un certain sens, c'était vrai. Elle avait vingt-six ans, ce qui faisait deux de plus que lui. Émile n'avait pas cessé de jacasser, il lui racontait des voyages imaginaires, une vie différente de la sienne. Environ cent cinquante-trois mensonges en une heure de promenade.

Elle l'avait fait monter chez elle. En passant la porte il avait été saisi à la gorge par l'odeur de l'appartement. Le parfum d'oignon frit avait toujours eu sur lui un pouvoir aphrodisiaque violent. Il l'avait prise par la taille et, la tournant contre lui, avait essayé de l'embrasser. Elle s'était dérobée, un doigt sur ses lèvres, et avait désigné du regard une porte fermée. La chambre des parents. Émile avait compris.

Son lit était étroit, encadré par un cosy de bois vernis dont les étagères étaient encombrées de peluches. Émile avait posé les mains sur ses seins en fermant les paupières. Lorsqu'il avait rouvert les yeux, il avait croisé son regard candide et sans fond, un regard d'enfant idiot. Il avait passé la main sous ses vêtements, mais une toux rauque l'avait interrompu. Un vieillard agonisait dans la chambre voisine. « Je ne peux pas », avait-il dit. Il s'était assis par terre, envahi par une tristesse mêlée de dégoût. « *Look at me, I'm as helpless as a kitten up a tree.* » Irina avait chanté à voix basse en lui caressant la tête. Sa voix était minuscule et juste, chaque consonne tintait entre ses dents comme un morceau de verre brisé. Effrayé à l'idée qu'il pourrait tomber éperdument amoureux d'elle, il avait décidé de lui faire l'amour, histoire d'en être débarrassé. Elle s'était déshabillée lentement, devant la fenêtre sans rideaux, son corps bleu acier éclairé par la lune. Émile n'avait pas osé la regarder. Elle l'avait plaqué contre l'oreiller. Puis, tout en chantant, elle l'avait dévêtu. Émile avait gardé les yeux fixés au plafond. Il respirait difficilement. Il savait qu'ils se trompaient. Ils n'auraient pas dû faire ça. Ils auraient dû attendre. Il aurait voulu lui parler. Au creux de son cou, il sentait les lèvres d'Irina remuer, « *I'm too misty and too much in love* ». Son esprit se révoltait tandis que ses mains couraient sur le dos de la jeune fille, sur ses reins qui ondulaient. Il avait pensé au soleil, aux squares emplis d'enfants, aux terrasses de café, à toutes les choses simples qui rendent gais les cœurs simples. Ses bras avaient enlacé le torse menu, ses jambes s'étaient fondues dans un frisson de soie. La tristesse était montée en lui, plus poignante que le désir, et il avait roulé sur lui-même pour mordre l'oreiller. Nous ne sommes pas des grandes personnes, avait-il pensé. Nous sommes Hansel et Gretel perdus dans les bois. Nous n'aurions jamais dû grignoter la maison de sucre.

En rentrant chez lui, les mains profondément enfoncées dans les poches, il s'était juré de ne plus jamais la revoir.

Le vendredi suivant, il avait sonné à la porte. Il avait un bouquet de fleurs à la main et suait atrocement dans son costume sombre. Des pas avaient résonné à l'intérieur de l'appartement. Émile n'avait pas reconnu le claquement preste des talons d'Irina et avait voulu s'enfuir.

— *Shabbat Shalom*, lui dit le gros monsieur en caftan dont la silhouette massive et sombre se découpait sur le seuil.

— *Shabbat Shalom*, avait bredouillé Émile, pétrifié. Irina est chez vous ? avait-il demandé d'une voix tremblante.

L'homme s'était retourné.

— Yinguélé, avait-il crié dans le couloir. Il y a quelqu'un pour toi.

Irina était apparue, moulée dans un fourreau noir, perchée sur des talons aiguilles, une cigarette dans une main et un plat à four dans l'autre.

— Entre, Émile, lui avait-elle dit. Papa, c'est Émile.

L'homme s'était écarté, le regard sombre, la mine énigmatique.

Le repas s'était déroulé en silence. Irina n'avait pas touché ses couverts. Elle avait fumé cigarette sur cigarette tandis que les deux hommes mâchaient. Émile croyait s'étouffer à chaque bouchée. Il ne pouvait pas regarder Irina. Il lui en voulait de lui avoir tendu ce piège, de porter cette robe provocante et de fumer un soir de shabbat. Il l'aurait giflée d'avoir amené à son père un gringalet comme lui, un imbécile athée, plein de mauvaises intentions, qui l'avait souillée dans sa chambre de petite fille. Il se haïssait de n'être pas à la hauteur, de ne pouvoir demander la main de sa petite fiancée, et avait maudit le sort pour l'avoir fourvoyé dans cette mascarade. L'humiliation était au-delà de toute réparation. Le repas sitôt terminé, il avait quitté la maison, serrant froidement la main d'Irina et n'osant pas regarder son père, tout en se demandant si la tradition n'aurait pas exigé qu'il lui baisât les doigts.

Il n'avait plus jamais eu de nouvelles de la danseuse. À Jabrowski, il avait dit quelques jours plus tard : « Une fille, mon vieux, comme ça ! Une vraie furie au lit. Et le vieux barbichu qui ronflait dans la chambre à côté... » Dans l'œil indulgent de son ami, il avait vu son âme se refléter, noire, rabougrie, puante.

En terminant son quatrième whisky de la soirée, il vit, marchant sur un tapis de neige et se tordant les pieds sur ses talons, un ange blond passer derrière ses paupières. Les deux mains sur son ventre, Irina souriait au bébé qui grandissait en elle. Le rêve s'évanouit dans la nuit et le bruit mou du verre tombant sur la moquette fut couvert par un ronflement profond, noyant dans son écho un vague rire d'enfant.

Au matin, il régnait un silence de neige. Émile fut réveillé par une clarté inquiétante. Il n'avait pas fermé les rideaux ; le ciel blanc, réfléchi sur le sol blanc, percutait les murs blancs. Il avait dormi tout habillé. Il passa le dos de sa main sur sa joue hérissée de poils ras ; le bruit râpeux lui sembla assourdissant. Sa tête était si lourde qu'il l'aurait crue moulée dans le cuir du fauteuil. Il avait la gueule de bois. Lorsqu'il se leva, il eut l'impression que son corps se dépliait comme une carte routière. Il s'étira et alla se regarder dans le miroir. Les poils de sa barbe étaient blancs, ça le vieillissait incroyablement. Il se dit que, s'il avait eu quatre-vingts ans, il aurait fait un magnifique vieillard. Il décida de ne pas se raser ; on verrait bien ce que dirait Violette.

Dehors, la couche de neige était presque intacte. Devant le numéro 7 et jusqu'au bout de l'impasse, un drôle d'animal avait laissé des traces bancales qu'Émile prit le temps d'étudier. Une grosse, deux petites (légèrement décalées sur le côté), encore une grosse (un peu à droite par rapport à la première), deux petites à nouveau, et ainsi de suite jusqu'à l'avenue du Président-Wilson. De quel genre de bête pouvait-il s'agir ? Une sorte de crabe se déplaçant en prenant appui sur ses pinces, puis sur ses pattes latérales plus fines – un crabe géant. Émile, accroupi par terre pour mieux observer le détail des empreintes, n'avait pas envie de se lever. Il se serait volontiers couché dans la neige pour écouter crisser les pas lointains des passants. Un crabe, se dit-il à nouveau en voyant se dessiner dans sa mémoire la silhouette de Catherine Fixé et de son petit garçon, Matthieu Larmand, qui portait le nom de son papa et lui ressemblait comme deux gouttes d'eau. La famille du numéro 7 était bien jolie : une fille toute jeune, en jean, aux cheveux roux, et deux bonshommes identiques, un en grand (un mètre quatre-vingt-quatre) et l'autre en petit (quatre-vingt-dix-huit centimètres). Un crabe en forme de Maman et Matthieu en route pour l'école. Émile sourit et se passa la main sur le front.

Lorsque Violette ouvrit la porte, elle dévisagea Hortchak d'un regard inquiet. Elle le fit entrer sans dire un mot, avança une chaise pour lui et resta debout, les mains dans le dos. Hortchak partit d'un grand éclat de rire.

III

Elle n'aimait pas qu'on se moque d'elle. Elle avait passé une mauvaise nuit. Elle n'avait pas envie d'un voisin qui débarque à neuf heures et quart, pas rasé, sentant le whisky et – qui sait – portant peut-être des traces de rouge à lèvres ; elle avait besoin d'un homme – non, d'un ami, patient et compréhensif, comme un frère. Elle s'était coiffée. Elle avait mis une robe. Elle attendait depuis neuf heures moins le quart, assise dans la cuisine, les yeux aimantés par les aiguilles de l'horloge. Elle était prête.

– Je suis saoul, dit Hortchak.

Il ajouta :

– J'ai trop bu hier soir. J'ai cru voir un crabe géant trottiner dans l'impasse.

Violette se leva brusquement et se dirigea vers la porte. Elle le mettrait dehors, quoi qu'il lui en coûtât.

Émile obéit à son injonction muette. Violette regardait le paillasson et, lorsqu'elle sentit que Hortchak était juste à côté d'elle, elle ouvrit la porte en grand. Une bourrasque de neige les enveloppa, comme deux figurines dans une boule en verre.

– Petite fille, dit-il en offrant son visage aux minuscules baisers des flocons.

Violette sourit.

Sans la regarder, il posa la main sur son épaule et ils restèrent ainsi un long moment, le visage levé vers le ciel invisible.

Les tourbillons de neige semblaient converger sur eux, comme attirés par la chaleur de leurs corps. En fondant sur leurs joues, les cristaux se changeaient en ruisseaux brûlants.

— J'ai froid, mentit Violette. Rentrons.

Émile laissa tomber son bras et referma la porte derrière sa voisine.

— Je vais vous faire un café, dit-elle. Asseyez-vous.

Émile obéit. En regardant Violette s'affairer devant sa gazinière, il se demanda pourquoi il avait tellement envie de la toucher. Ce désir ne ressemblait à rien de ce qu'il avait éprouvé auparavant. Qu'avait-il donc fait jusqu'à présent ? Il avait vécu en marge de l'essentiel. Peut-être n'avait-il fait qu'attendre, pendant toutes ces années. Attendre de trouver le fameux nounours qui fait fuir les cauchemars, la couverture qui ne laisse jamais passer le froid, le bonnet qui couvre parfaitement les oreilles, la source qui étanche la soif, le pain tendre et lourd qui apaise la faim et console. Ses seins, le pli de ses aisselles, les trois fossettes de ses reins, son cou-de-pied, le duvet sur sa nuque, Violette nue, Violette allongée. Une lame doit se mettre à briller en moi, quelque chose de tranchant, de cruel. L'eau doit me venir à la bouche, mes canines doivent pointer. C'est héréditaire, ces choses-là. Coureur, fils de coureur, coureur de père en fils.

La dernière fois que Hortchak avait vu son père — trois ans plus tôt —, ce dernier était au volant d'une voiture de sport en mauvais état. Émile l'avait observé, caché derrière une colonne Morris. Ses cheveux étaient d'un blanc éblouissant. De ses yeux bleus fusait encore la lueur interdite qu'Émile avait tant convoitée quand il était enfant. C'était un éclat furtif qui éclairait son visage l'espace d'un instant, comme un rayon de soleil ricochant sur le bord d'un verre de cristal. Émile aurait aimé se réchauffer à cette lumière, mais elle était exclusivement réservée aux femmes. Il essaya de se rappeler s'il lui était arrivé de surprendre ce trait se posant sur sa mère. C'était difficile. Mac – son père s'appelait en fait Emmanuel – avait quitté le foyer conjugal quand Émile n'avait pas sept ans. À l'époque, sa mère, alourdie par cinq grossesses, le visage déçu, le sourire coupable, n'attirait déjà plus les regards de qui que ce fût. Elle était devenue invisible, sans corps. Seules les mains subsistaient pour pétrir et laver. L'oiseau mutin, prisonnier du regard de son père, s'était posé sur Vévé, sur la cousine Rachel, sur Virginie Ledoux, la fille de la gardienne, sur toutes les créatures aux reins creux et à la poitrine haute qui circulaient frénétiquement dans les rues joyeuses de la jeune après-guerre.

Toujours dissimulé, et priant pour que le feu tricolore qui avait arrêté la voiture ne repasse pas trop rapidement au vert, Émile s'était demandé pourquoi son père avait l'air plus jeune que lui. Une chemise blanche, légèrement ouverte sur une poitrine hâlée, un corps sec et mince, un bras autour des épaules d'une jeune femme et, dans les yeux, un feu lubrique d'une gaieté irrésistible. Hortchak avait légèrement desserré sa cravate, il avait glissé la main dans la poche de son pantalon pour se donner l'air décontracté. Penchant de nouveau la tête pour espionner une dernière fois le don juan septuagénaire, il avait cru voir que la veste jetée en travers de la banquette arrière avait un trou au coude de la grosseur d'un poing. Il avait plissé les paupières et, à la faveur d'un rayon de soleil, il avait remarqué que la corrosion avait méchamment attaqué la tôle du véhicule. Au moment où le feu avait changé de couleur, la voiture avait crissé sur ses pneus, la jeune femme avait tourné la tête et il avait croisé son regard, plein d'ironie. Elle lui avait fait un clin d'œil, la bouche tordue par un rictus vulgaire.

— Maintenant que vous n'avez plus de secrétaire, dit Violette en posant les tasses sur la table, vous en profitez pour faire l'école buissonnière. Vous devriez déjà être parti, ajouta-t-elle à voix basse, comme pour ne pas être entendue.

— Je crois que j'ai envie de changer de métier, dit Hortchak. Qu'est-ce que vous en pensez ? Dans quoi vous me verriez ?

— Alors vous êtes vraiment saoul, dit Violette. Ce n'était pas une plaisanterie. Vous voulez que je mette du sel dans votre café ? Il paraît que c'est comme ça qu'il faut faire.

— Non, dit Émile, du sucre. Il me faut beaucoup de sucre. Vous ne pouvez pas imaginer combien j'ai besoin de sucre.

En disant ces mots, il ne la quittait pas des yeux. Elle n'osait pas détourner le regard et se demanda pourquoi sa gorge se serrait si fort.

— Du sucre, répéta-t-elle, les lèvres tremblantes.

Elle ouvrit le sucrier et fit tomber un morceau dans la tasse d'Émile.

— Encore, dit-il.

Violette prit un autre sucre et le plongea dans la tasse.

— Encore, répéta-t-il en cherchant le regard de Violette. Elle déposa un troisième morceau dans la tasse.

— Encore, dit Émile.

Lorsque la main de Violette s'approcha pour la quatrième fois de la tasse, il tendit brusquement le bras pour la saisir ; mais son geste manquait de précision et il ne réussit qu'à renverser son café sur la table.

— Raté ! s'écria Violette.

Elle posa aussitôt la main devant sa bouche. Qu'est-ce qui lui avait pris de dire une chose pareille ? Elle se mit à rire.

Émile se leva pour prendre une éponge et répara sa maladresse.

— Je n'ai pas envie d'aller travailler, dit-il en se rasseyant.

— Moi non plus, dit Violette.

— Mais vous, vous n'êtes pas obligée d'y aller, vous n'avez pas de travail.

— Si.

Émile était stupéfait. Il se rendit compte qu'il avait toujours pensé que Violette vivait d'un petit héritage ou d'aides de la municipalité.

— Qu'est-ce que vous faites dans la vie ?

— Qu'est-ce que je faisais, rectifia Violette. Ça fera huit mois en janvier que je n'ai pas mis les pieds chez Fournier & Charmette.

Émile fronça les sourcils.

— C'est une espèce d'organisme financier qui fait tout et rien. J'étais responsable de la saisie informatique.

— Vous tapez à la machine ? demanda Hortchak.

— Arrêtez de vous moquer de moi, dit-elle. Vous savez très bien de quoi je veux parler.

Hortchak prit une expression de naïveté forcée.

— Ça n'a aucun intérêt de toute façon, reprit-elle. C'était un travail terriblement ennuyeux.

— Vous n'allez pas y retourner, dit Hortchak.

— Qu'est-ce que vous en savez ?

— C'est mon petit doigt qui me le dit.

— Mon petit doigt à moi dit que si vous ne partez pas tout de suite, vous allez être renvoyé.

— On ne renvoie pas un patron, dit Hortchak.

— Ça, c'est ce que vous croyez, dit-elle en le poussant vers la porte.

Elle l'avait à peine refermée que Hortchak appuya sur la sonnette. Lorsque Violette ouvrit, des flocons de neige se précipitèrent dans ses yeux et elle dut plisser les paupières pour ne pas pleurer.

Si nous avions vingt ans, pensa Hortchak, j'aurais sonné à la porte pour l'embrasser par surprise. Elle ne se serait pas débattue. Elle aurait été toute molle dans mes bras et...

— Vous n'oubliez pas pour ce soir, lui dit-il. Vingt heures, vingt heures trente. Au fait, vous avez l'adresse ?

Violette hocha la tête. Elle ferma tout à fait les yeux pour faire disparaître Hortchak. Elle ne rouvrit les paupières qu'une fois assise sur sa chaise.

8

Devant le miroir de sa coiffeuse, Sonia Jabrowski ajustait sa perruque. Les juives pieuses, pensa-t-elle, ont sur les autres un avantage incontestable. Pour elles, la perte des cheveux causée par la chimiothérapie n'est pas une catastrophe. Elle sourit à son reflet et sentit la douleur s'éveiller. C'était devenu si familier à présent, cette souffrance qui la prenait par surprise en se logeant à chaque nouvelle crise dans une partie différente de son corps. Elle n'avait pas peur d'avoir mal. Elle n'avait pas peur de mourir. Ce qui la chagrinait surtout, c'étaient les yeux de Dan. Il n'avait plus le même regard qu'avant ; quand il s'approchait d'elle, les sourcils levés, la bouche légèrement ouverte, il semblait toujours sur le point de lui poser une question. Sonia savait que c'était toujours la même question : « Comment te sens-tu ? » Sonia était devenue un mystère pour son mari. Avant la maladie, ils se connaissaient si bien. Ils ne parlaient pas. Dan entrait dans la cuisine en criant « Ta-ra-ta-ta » et lui posait les mains sur les fesses. Sonia tournait la tête pour s'assurer qu'aucun de leurs six enfants n'était dans les parages, puis elle reposait son dos contre la poitrine de Dan. « Sonietchka », lui disait-il à l'oreille en l'enlaçant. Elle ne disait rien, ou alors elle chantonnait *koupitié papirossn*. Jeune fille, elle n'aurait jamais cru qu'avoir un mari pourrait être aussi agréable. On l'avait élevée dans l'idée que la femme devait servir son homme, le soutenir, s'occuper des enfants et vivre selon la Torah. Personne ne lui avait laissé entendre que les caresses et la douceur étaient comprises dans le lot. Dans les premiers mois de leur union, elle avait été troublée, puis inquiète, enfin elle avait perdu le sommeil. Ce qu'elle ressentait était si étrange. Lorsque ses sœurs aînées s'étaient mariées, elles lui avaient parlé à mots couverts de la chose affreuse qui se passait certaines nuits. Sous le dais, elle s'était souvenue de leurs paroles, et leurs mots n'avaient cessé de la hanter. Elle ne comprenait pas à quoi elles avaient voulu faire allusion et en était venue à se demander si son mariage n'était pas une mascarade. Vivait-elle, sans le savoir, dans le péché ? Un matin, n'y tenant plus, elle était allée trouver le rabbin. Mais, par où commencer ? Elle n'avait pas honte de parler au Reb Zisman, elle le connaissait depuis qu'elle était toute petite, simplement elle se trouvait dans un tel état de confusion qu'elle ne parvenait pas à se faire comprendre.

« Je trouve que mon mari est beau », avait-elle fini par déclarer d'une voix claire et sonore.

Reb Zisman avait froncé les sourcils et Sonia en avait perdu tous ses moyens.

« C'est vrai, avait-il dit au bout de quelques minutes en haussant les épaules. *Nou ?* Il est beau, et alors ?

— Alors..., avait dit Sonia, blessée par la brusquerie du rabbin, alors j'ai envie d'être à côté de lui... tout le temps. Parfois, j'ai du mal à attendre, je ne tiens plus en place. Si je pouvais, je resterais collée à lui toute la journée. »

Reb Zisman s'était levé, avait empoigné le bras de Sonia et l'avait reconduite à la porte.

« Il y a des gens qui attendent dehors, Sonia, des gens qui ont des vrais problèmes, qu'un vrai rabbin il peut écouter. Si c'est une fessée que tu veux, alors tu vas voir ton mari. »

Elle avait tout raconté à Dan en rentrant et il l'avait poursuivie à travers la maison pour lui administrer sa punition en criant « Ta-ra-ta-ta ». Comme ils riaient, en ce temps-là. Elle avait eu une vie si heureuse, pas une fausse couche, de grands enfants en bonne santé. Certes, Dan s'était un peu éloigné de Dieu avec les années, son travail était devenu sa nouvelle religion, mais elle savait que ce n'était pas important, elle priait pour deux. Elle pensa soudain que si son mari avait été malade au lieu d'elle, elle aurait eu quelques motifs d'inquiétude ; elle n'était pas certaine que le Seigneur serait aussi compréhensif qu'elle l'avait été. Il faut que je pense à écrire quelque part qu'après ma mort Dan devra réfléchir sur son attitude. Je ne peux pas trop lui en demander parce qu'il sera très abattu, mais il pourrait par exemple lire un verset de la Bible par jour, ça n'a jamais tué personne. Sentant la douleur s'étendre dangereusement, elle se laissa aller à imaginer le monde sans elle. Comme c'est triste de mourir quand on est aimé, se dit-elle. Elle prit un comprimé analgésique en lui confiant pour mission de lui changer les idées.

— Tu es prête, Sonietchka ? dit Dan en entrant dans la chambre.

Ses yeux, mon Dieu, ses yeux. *Tu ne pourras jamais savoir ce que j'éprouve ; moi-même, je ne le sais pas. Alors arrête de me regarder comme ça.*

Elle se leva comme par magie — la plupart du temps, le moindre changement de position la faisait grimacer.

— Tu es belle, dit Dan en s'approchant d'elle.

— Ta-ra-ta-ta, lui glissa-t-elle à l'oreille en posant la tête sur son épaule.

Elle aurait voulu qu'il la serre contre lui, mais les bras de Jabrowski pendaient sans vie. Il pleurait.

Au salon, Gabriel Schwartz les attendait, un verre de jus d'orange à la main.

— Gabriel, dit Jabrowski, je te présente Sonia, ma femme.

Gabriel se leva pour serrer la main de Sonia, mais celle-ci recula imperceptiblement. Il comprit et se rassit en souriant.

— Dan me parle de vous jour et nuit, dit-elle à Gabriel en s'installant face à lui sur le canapé.

— Dan est le meilleur directeur de recherche que je connaisse, répondit le jeune homme.

— Ça, je ne sais pas, dit Sonia. Moi, je crois plutôt que c'est vous qui êtes le meilleur étudiant qu'il connaisse. Vous savez, c'est la première fois que je rencontre un étudiant de mon mari.

Gabriel n'était pas surpris. Jabrowski avait la réputation d'être un homme froid et peu liant. À la fac, certains l'appelaient « l'Ermite ». D'autres l'appelaient « la Mite », parce qu'il était petit, maigre et sec, et se nourrissait de biscuits avec la même avidité que ces insectes se repaissent de fils de laine. Gabriel, quant à lui, n'avait pas d'opinion sur la question, il avait besoin de Jabrowski et Jabrowski avait besoin de lui.

Sonia, en revanche, lui plaisait bien. Elle avait une drôle de tête, avec sa perruque un peu trop enfoncée sur le front. Elle était gentille, gentille comme se devaient de l'être – à son avis – les femmes vieillissantes, replètes et à perruque.

Sonia n'était pas tombée sous le charme de Gabriel comme son mari l'avait prévu. Jabrowski lui avait dit la veille : « Tu verras, c'est un apollon. Des cheveux blonds, des yeux bleus, un nez comme ça, belle stature... » Sonia voyait bien ses cheveux blonds, ses yeux bleus et le reste, mais ce qui la frappait surtout, c'était l'insolence de son sourire. Elle n'aimait pas l'insolence. Pour elle, c'était une tare affreuse, une sorte d'obstacle entre la personne et le monde. Elle aurait aimé pouvoir prévenir Gabriel, lui dire : « Ta vie ne fait que commencer, si tu fais semblant de tout savoir, c'est toi qui seras dupe. Tu vas te prendre une telle claque dans la figure que tu ne t'en relèveras jamais. » Elle ne se serait jamais permis, quelques années plus tôt, de formuler pareille menace. Étrangement, l'imminence de la mort semblait l'affranchir et lui conférer une sagesse dont elle n'aurait pas cru être digne.

Il est dit que le fœtus, dans le corps de la mère, connaît tout des mystères du monde. Lorsqu'il naît, un ange lui pose un doigt sur la bouche. Le visage de l'enfant en porte la trace, c'est un léger sillon entre la lèvre supérieure et le nez. Ce geste n'a pas pour seule vertu de faire taire le nourrisson, il permet aussi au bébé de tout oublier. Car, si l'on ne commence pas par oublier, on ne peut rien apprendre. Sonia s'était souvent représenté cette scène. Cependant, il lui semblait que, pour certains individus, l'ange ne s'était pas contenté de poser son index sur les lèvres tendres, il avait appuyé bien fort, histoire d'éviter les embêtements. Ceux qui portaient cette empreinte plus profonde, les idiots, les naïfs, les humbles, en savaient plus long. Aux insolents, aux prétentieux, on n'avait pas pris la peine d'administrer un remède aussi puissant. Gabriel ne savait rien, mais parce que l'ange avait bâclé son travail, le jeune homme croyait avoir un ascendant sur ses semblables. Sonia détailla son menton, puis ses lèvres, et constata que le sillon situé entre son nez et sa lèvre supérieure était à peine visible. Ça ne manquait pas de charme, d'ailleurs, mais c'était un signe funeste. Dans son cas à elle, il en allait tout autrement. Revendiquant sans triomphalisme son appartenance à la catégorie des idiots, des naïfs et des simples, elle percevait toutefois que la cicatrisation commençait à faire son office. À mesure que la mort approchait, le sceau s'effaçait et, peu à peu, elle entrait en contact avec les puissances occultes. Vivre en sainte et mourir en sorcière, quel drôle de destin.

— Je n'ai rien dit à Hortchak, dit Jabrowski à son élève,

je préfère lui faire la surprise. C'est un filou. Si j'avais sollicité un rendez-vous pour toi, il aurait trouvé le moyen de se défiler. Cette réception tombe à pic. On le prend au pied levé. Pour un premier contact, c'est parfait. Tu ne crois pas, Sonia ?

Sonia aquiesça. Hortchak et Gabriel appartenaient à la même famille. Au début, elle avait eu du mal à s'accommoder de l'amitié tenace que son mari vouait à son collègue. Elle ne voyait pas pourquoi Dan continuait à poursuivre Émile, alors que ce dernier ne passait jamais un coup de fil, ne répondait pas aux lettres et n'avait pas donné le moindre signe de sympathie lorsque la maladie avait commencé à ronger leur vie. Elle n'aimait pas cet homme, elle ne lui faisait pas confiance. Elle se souvint que, chez lui aussi, le sillon au-dessus de la bouche était pratiquement inexistant. La ressemblance ne s'arrêtait pas là. Même regard bleu conquérant, même nez aquilin, stature équivalente, et cet air de tout savoir mieux que tout le monde. Pauvre Émile, il n'avait jamais tenu un bébé dans ses bras.

— Parfait, répéta-t-elle en écho, un sourire savant sur les lèvres.

Dan ne tenait pas en place. Il s'asseyait sur le canapé à côté de Sonia, se relevait soudain, prenait une chaise, la remettait en place, se servait un verre, oubliait de le boire. Il avait eu une idée brillante et ne pouvait attendre de voir le miracle qui allait en découler. Malgré ce que Sonia pensait, il n'était pas loin lui aussi d'être un saint homme ; il pensait, grâce à Gabriel, pouvoir faire œuvre de rédemption. Gabriel était orphelin, il avait besoin d'un maître à penser. Hortchak était volage. À son âge, ce n'était pas une bonne chose. Ses frasques finiraient par se retourner contre lui, il avait besoin de se fixer. Si seulement Dan avait pu lui trouver une femme... À défaut, un grand fils talentueux pourrait peut-être redonner un peu d'élan à son idole.

— On y va ? dit-il en tripotant les clés de sa voiture. Ça ira, ma chérie ? demanda-t-il tout bas à Sonia en l'aidant à se lever.

— Ne t'inquiète pas, dit-elle. J'ai passé la journée au lit, je peux quand même tenir debout trois heures.

Sa voix était agressive et Dan perdit un peu de son enthousiasme. Il était si profondément révolté contre l'injustice qui frappait son épouse qu'il avait tendance à oublier la réalité de sa maladie. Au fond, il refusait d'envisager l'issue tragique de la situation. S'il s'était interrogé sur ses sentiments, il se serait rendu compte qu'il en voulait à Sonia. Elle n'avait pas le droit de l'abandonner, et il ne pouvait s'empêcher de penser qu'elle le faisait exprès. S'il avait cru davantage en Dieu, il aurait pu se réfugier dans l'idée que Lui seul présidait au destin des hommes. L'ennui, c'est qu'il avait depuis longtemps perdu le fil de la foi, et qu'il ne pouvait s'empêcher de voir en toutes choses le libre arbitre de l'individu. Sonia était tranquille, elle savait que le Seigneur n'avait de comptes à rendre à personne, il la retirait de la vie comme on se défausse d'une carte dans un jeu. Elle n'était pas inquiète, parce qu'elle savait que son âme était éternelle. Elle avait plané dans les limbes pendant des milliers d'années et y retournerait bientôt. Elle avait déjà l'impression d'assister à la vie depuis une certaine hauteur, la douleur lui conférait un détachement forcé : ne pouvant plus participer à grand-chose, elle se contentait d'observer. D'une certaine manière, elle avait déjà commencé à mourir, et ce n'était certainement pas la chose la plus affreuse qui lui fût arrivée.

Dans la voiture qui filait dans la nuit entre les flocons de neige, la radio annonça qu'un avion s'était écrasé quelque part en Inde. Le nombre des victime était accablant.

– C'est ça, le progrès, dit Jabrowski.

Gabriel sourit et Sonia le regarda, perplexe. Dans un plateau de la balance, une seule petite mort de rien du tout, dans l'autre, deux cent soixante-quatre morts violentes de gens en pleine forme, d'enfants qui, cinq minutes avant, étaient en train de rire ou de réclamer un biberon. C'était absurde. Si son mari avait été un sage, il aurait pleuré la catastrophe et laissé son épouse s'éteindre en paix.

Elle regarda les flocons qui venaient s'écraser contre la vitre. Dieu, Dieu, Dieu, se dit-elle tout bas à chaque fois qu'un flocon disparaissait. Dieu est partout. En Inde, il a six ou huit bras. Dieu, Dieu, Dieu. Comme ce mot était doux, doux, froid, tendre comme la neige qui tourbillonnait autour d'eux. Je me sentirai exactement comme ça dans le cimetière, endormie dans l'obscurité piquée de points blancs. L'obscurité de mes yeux fermés, les points blancs dessinés par les visages de mes six enfants.

La salle de réunion était décorée de guirlandes en lettres d'or pendues au plafond. Les tables avaient été poussées le long du mur et recouvertes de nappes blanches. Sitôt entrée, Sonia chercha des yeux une chaise un peu à l'écart pour passer la soirée. Elle ne connaissait personne hormis Hortchak et n'éprouvait pas le besoin de faire la conversation. Elle n'était venue que pour convaincre son mari qu'elle était encore vivante. Le trajet en voiture avait suffi à l'épuiser, et il fallait qu'elle récupère en vue du voyage de retour. À petits pas, elle se fraya un chemin entre les invités. Elle reçut deux ou trois coups de coude involontaires, et une jeune femme enceinte jusqu'aux yeux lui marcha sur le pied.

En arrivant à la chaise qu'elle avait repérée près de la sortie de secours, elle eut l'impression d'avoir été piétinée par un troupeau d'éléphants. Dan n'aurait jamais dû lâcher son bras. Elle le voyait, au centre de la pièce, la main sur l'épaule d'Émile à côté duquel il avait l'air d'une fourmi. Il parlait de Gabriel dont les boucles blondes s'agitaient sur son front. Émile ne regardait ni Jabrowski ni l'étudiant, il faisait semblant d'écouter, les yeux fixés sur la porte d'entrée. Quel cochon, pensat-elle, il se fiche complètement de ce que lui dit Dan. Bien entendu, Dan ne se rendait compte de rien, mais Gabriel était nerveux. Il se tordait les mains, n'osait pas interrompre, cherchant en vain à capter le regard d'Émile. Sonia regretta qu'une crise ne l'ait pas clouée à la maison pour empêcher cette rencontre. Cela faisait plusieurs semaines qu'elle n'avait pas vu Hortchak, et elle le trouva vieilli, les épaules légèrement voûtées, le regard inquiet. Il hochait la tête au hasard et inondait Gabriel de sourires absents.

Alors que Sonia priait pour que cette confrontation prît fin, une très jolie jeune femme s'approcha des trois hommes. Elle était grande, bien faite, le teint hâlé, les lèvres pulpeuses. Hortchak la présenta distraitement et Sonia remarqua que Gabriel lui serrait très chaleureusement la main, les yeux dans les yeux, la tête légèrement inclinée. Il avait retrouvé tout son aplomb et repartait à l'assaut. À cet instant, l'insolence du garçon qui l'avait irritée tantôt la ravit. La jeune femme se mit à parler, et son visage devint alors si expressif et si vivant que Sonia en fut bouleversée. Dieu, Dieu, Dieu, se dit-elle à nouveau, Dieu est capable de faire de si jolies choses. Les autres femmes de l'assemblée avaient l'air incroyablement ternes comparées à elle ; le teint blême, des lunettes à monture masculine, des tailleurs mal coupés, elles fumaient des cigarettes sans filtre et se passaient sans cesse la main dans les cheveux. Elles avaient toutes l'air un peu trop vieilles, un peu trop intelligentes aussi, se dit Sonia sans rougir. Elle savait parfaitement que la mode des femmes innocentes et soumises était passée et qu'il était devenu fort inconvenant de reprocher à une femme ses capacités intellectuelles. Toutefois, cela ne l'empêchait pas d'être convaincue que trop d'esprit brouillait le teint, creusait des cernes et faisait tomber les cheveux. La très jolie jeune femme qui parlait à Gabriel n'était pas une gourde pour autant, elle savait simplement que son salut n'était pas dans sa cervelle.

Gabriel prenait congé des deux vieux savants pour

conduire sa nouvelle proie vers le buffet, lorsqu'un autre jeune homme à l'allure dégingandée, portant des lunettes et tirant par la main la femme enceinte qui avait écrasé le pied de Sonia, lui barra la route. Il feignit la maladresse, mais Sonia n'était pas dupe. Elle avait vu le fauteur de troubles observer du coin de l'œil la parade amoureuse de Gabriel, tandis que sa compagne, une sorte de long haricot beurre avec une cloque au niveau de l'abdomen, geignait en découvrant d'admirables petites dents blanches comme le lait. Le binoclard s'était jeté en travers du passage, comme pour empêcher le couple d'accéder au buffet. Il avait ri bêtement, n'adressant pas un regard à Gabriel, tout occupé à faire comprendre à la belle jeune fille, par un jeu de mimiques désordonnées, un tas de choses dont Sonia regrettait de ne pas connaître le sens.

Sur ces entrefaites, Jabrowski avait lâché l'épaule de son ami et cherchait à présent son épouse parmi la foule. Si tu crois que je vais te faire un signe, pensa Sonia, légèrement vexée qu'il l'ait laissée tomber pour des mondanités – plutôt crever ! S'il la rejoignait, il se mettrait sans doute à lui parler pour ne pas qu'elle s'ennuie, et l'empêcherait alors d'observer les multiples saynètes qui se déroulaient sous ses yeux.

La scène suivante avait pour personnages principaux Émile Hortchak et une petite femme brune qui venait de faire son entrée dans la salle de réunion. Dès qu'elle avait passé la porte, Hortchak avait foncé sur elle, mais, à présent qu'ils étaient face à face, il ne savait plus comment se comporter. Il lui avait d'abord tendu la main, et, comme elle avait souri, il s'était permis de lui déposer un baiser sur la joue. Sonia remarqua que la petite femme avait légèrement rougi. Était-ce le présage d'un printemps précoce ? Sonia frappa discrètement dans ses mains. Toutes ces histoires d'amour qui se jouent devant moi, pensa-t-elle, quel délice. Elle se demanda si c'était un privilège de plus accordé par la mort que d'avoir le regard suffisamment affûté pour remarquer les moindres signes. La petite femme détonnait elle aussi, mais d'une manière différente. La grande était une version moderne et la petite une version archaïque. La peau ambrée, l'iris noir et étincelant, les cheveux bouclés et épais remontés en chignon, un nez long et droit et, comble de bonheur, un sillon très profond descendant jusqu'aux lèvres foncées et légèrement retroussées. Ses mains, qu'elle tenait serrées sur son ventre, étaient minuscules ; ses bras, qu'on devinait à travers le tissu transparent des manches, dessinaient une ceinture juste au-dessus de ses hanches compactes. Ses petits genoux et ses chevilles fines la portaient avec grâce. L'empressement que montrait Hortchak face à cette créature si douce troubla beaucoup Sonia. Il les avait habitués à de grandes pouliches de vingt-cinq ans qui semblaient découpées dans les magazines et n'avaient pas plus d'épaisseur que les feuilles de papier glacé. Elle plissa les yeux pour essayer en vain de lire sur les lèvres de la femme ce qu'elle disait à Émile. Si elle avait été vraiment morte, son fantôme aurait pu aisément se glisser entre eux pour les épier. Elle tapa du pied. Que faisait-elle encore sur terre ? C'était agaçant.

Alors qu'elle se penchait sur le côté, en se dissimulant derrière une psycholinguiste au dos de lutteur de foire pour échapper au regard de Dan, elle vit qu'Émile et la petite femme se dirigeaient droit sur elle depuis l'angle opposé de la pièce.

— Violette, dit Émile, permettez-moi de vous présenter Sonia Jabrowski, l'épouse de mon meilleur ami.

Sonia eut un sourire hésitant et tendit la main à Violette.

— Sonia, je vous présente Violette Opass, enchaîna-t-il, une amie.

— Enchantée, dit Violette d'une voix timide.

— Enchantée, répondit Sonia.

Les deux femmes se regardaient, en vérité plutôt surprises qu'enchantées. Hortchak, les mains dans le dos, un sourire ravageur en travers du visage, la poitrine bombée et les genoux élastiques, semblait jubiler.

— Je dois vous laisser cinq minutes, dit-il, il faut que j'aille voir si tout se passe bien. Je suis quand même responsable.

À cet instant, on entendit un bruit de verre brisé près du buffet et Sonia vit émerger la tête du jeune homme à lunettes qui, d'après ses spéculations, était le mari de la femme enceinte et l'amant secret de la jolie jeune fille que Gabriel venait de lui souffler. Hortchak s'élança vers le foyer du drame en criant :

— Ingembe, Ingembe, qu'est-ce qui vous prend, bon Dieu ?

— Qu'est-ce qui se passe ? demanda Violette à Sonia.

— Je crois que le jeune homme à lunettes a trop bu,

répondit Sonia. Il va vouloir faire des histoires, parce qu'il est amoureux de la grande blonde et que l'étudiant de mon mari lui plaît mieux.

— À qui ? demanda Violette. L'étudiant plaît au mari ou à la blonde ?

Sonia éclata de rire.

— Prenez une chaise, mon petit. De toute façon, ces histoires ne nous concernent pas.

— Je ne connais personne ici, dit Violette.

— Moi non plus, dit Sonia. Mais j'ai l'habitude. Avec mon mari, je ne connais jamais personne.

Violette hocha la tête. Sonia aurait aimé la questionner, lui demander comment elle connaissait Émile, si elle était amoureuse de lui, d'où elle venait, où elle avait acheté cette merveilleuse petite robe... Mais la différence d'âge lui paraissait infranchissable. Elle avait l'impression qu'elle et Violette ne parleraient pas la même langue. Violette, de son côté, avait envie de lui demander ce que ça faisait de porter une perruque. Toutefois, elle s'estimait déjà assez heureuse de pouvoir être assise à côté d'une femme perruquée, c'était une chose qu'elle avait toujours rêvé de faire.

— Musique, par pitié, cria une femme d'une cinquantaine d'années qui ressemblait à s'y méprendre au fox-terrier de la voisine des Jabrowski.

Sa requête fut immédiatement satisfaite et les mouvements désordonnés du binoclard se noyèrent dans un flot de tango de supermarché.

On ne s'entendait plus et c'était parfait ainsi, pensa Sonia. Sa réserve naturelle n'aurait pas à céder à la politesse. Elle pouvait se montrer très amicale avec la petite jeune femme sans lui adresser la parole ; un regard complice de temps en temps suffirait à assurer une communication minimale. La douleur avait profité du moment de flottement pour se diffuser depuis le bas du dos jusqu'à la nuque de Sonia. C'était un couteau de cuisine à la lame émoussée qui déchirait la moelle épinière de haut en bas, de bas en haut. Sonia se demanda si, en enlevant sa robe avant de se coucher, elle pourrait voir, en se regardant de dos dans le miroir, les multiples sillons creusés par le mal. Combien de temps cela durerait-il encore ? Elle se rappela les débuts, l'époque où elle hésitait entre une sciatique et des coliques néphrétiques. En ce temps-là, la douleur était aussi intense, mais l'idée que, lorsqu'elle cesserait, la santé et la vie reprendraient leurs droits la rendait plus supportable. Aujourd'hui, souhaiter la fin de la souffrance, c'était appeler la mort. Sonia savait que ce recours lui était interdit. Rien n'est plus sacré que la vie. C'est à cause de Dieu, c'est pour Dieu, c'est grâce à Dieu.

Elle était malade depuis un ou deux mois lorsqu'elle avait assisté à la scène qui, à présent, lui revenait en mémoire comme une illustration parfaite à la question lancinante qui ne cessait de l'assaillir. C'était dans un aéroport, près des comptoirs d'enregistrement de la compagnie ELAL. Elle était assise sur sa valise dans une file de voyageurs, attendant patiemment de se faire questionner ou fouiller – elle ne savait trop – par la jeune femme brune en uniforme dont elle admirait la sévérité. Dan était parti lui chercher une boisson pour avaler ses médicaments et elle regardait autour d'elle, le cherchant des yeux, espérant qu'il ne s'était pas perdu dans les couloirs interminables.

Un éclat de rire avait soudain attiré son attention. Elle s'était penchée pour mieux voir : une grande femme aux cheveux gris et deux hommes d'âge mûr légèrement ventripotents encerclaient un jeune garçon d'une vingtaine d'années, assis dans un fauteuil roulant. Il avait de très larges yeux vert-gris bordés de longs cils noirs qui semblaient ne rien voir, un nez un peu épaté de moujik et une jolie bouche enfantine légèrement ouverte. Son visage était incroyablement beau et attachant. Comment les personnes qui l'entouraient – sans doute ses parents – pouvaient-elles regarder ailleurs ? Sonia ne pouvait le comprendre. Si elle avait été sa mère, elle aurait passé ses jours et ses nuits à ses pieds, contemplant sa pâleur, l'innocence de ses lèvres, la tendresse de ses cils. En y regardant d'un peu plus près, elle avait constaté que la peau de son cou était entièrement brûlée. De longs plis rouges et violacés marbraient l'épiderme. Un frisson douloureux l'avait traversée. Le reste de son corps était sans doute dans le même état. Mon Dieu, avait-elle murmuré, portant instinctivement la main à sa bouche, comme si elle avait blasphémé. On ne doit pas regarder les infirmes, c'est inconvenant ; mais Sonia, dès qu'elle essayait de regarder ailleurs, entendait comme un appel.

Le garçon sur la chaise roulante ne la regardait pas, il ne la voyait pas. Ses mains, posées sur ses genoux, ne cessaient de trembler, elles n'avaient sans doute pas cessé depuis l'accident. Ses yeux, qui semblaient ne rien voir, regardaient la mort. La mort qui, si l'on y prend garde, est partout, puisque partout il y a la vie. Le garçon avait vu la mort une fois, tandis que son corps brûlait, et il ne l'avait pas quittée des yeux depuis. Ses mains trembleraient encore longtemps, choquées d'avoir senti dans leur étreinte sa chair glacée. Les trois adultes qui entouraient le fauteuil jouissaient d'une santé agaçante, ils parlaient en riant comme si de rien n'était. Quelle force de caractère, auraient pensé certains. Ils adressaient parfois la parole au garçon, d'un ton ordinaire. « *Il faut surtout vous comporter comme si tout allait bien.* » Sonia entendait les paroles des médecins et des psychologues. Combien en avait-elle entendu, de ces phrases réconfortantes que l'on prononce au chevet d'un mourant ? « Tu verras, Papy, tout ira bien », « Mais non, Mamie, ne dis pas de bêtises ». Quelle lâcheté tout de même.

Elle était restée assise sur sa valise, le regard embué, le cœur tremblant, les bras engourdis par l'envie d'étreindre ce grand garçon inconnu. Lorsque Dan était revenu, tout essoufflé, une canette de Coca à la main – il était désolé mais il n'y avait rien d'autre et il avait manqué se faire piétiner par une bande de gamins dans l'escalier mécanique –, Sonia s'était mise à pleurer. Peut-être avait-elle lu sans le savoir, dans le regard du garçon, la suite de sa propre histoire.

Le temps que cela durerait n'avait aucune importance. Les médecins avaient déployé des trésors de malhonnêteté pour lui cacher l'issue de sa maladie, mais il avait suffi de l'indélicatesse d'une infirmière pour que la vérité triomphe. Sonia l'avait assez bien pris, elle l'avait dit à

Dan qui le savait déjà et s'était sentie apaisée. Ce n'était pas à cet instant que l'effroi l'avait envahie. Le jour où elle avait appris qu'elle n'en avait plus que pour quelques mois n'était qu'une date parmi d'autres. La terreur l'avait saisie avant cela, lorsqu'elle avait vu le garçon dans la chaise roulante. Elle avait frappé plus tôt encore, plusieurs fois, à la naissance de chacun de ses enfants. Sonia avait tu ce sentiment. Elle avait péché six fois dans sa vie. À chaque naissance, comblée d'amour et de tendresse, la tête confiante du nouveau-né posée contre son sein, elle s'était révoltée contre Dieu. « Je t'interdis de me le prendre », lui avait-elle ordonné. Dieu l'avait écoutée. Elle mourrait bien vite, pleine d'espoir, refusant d'admettre que ses petits connaîtraient un jour le même sort.

Violette dodelinait de la tête. Elle n'aurait pas détesté danser, mais qui l'aurait invitée ? Il y avait d'un côté les jeunes et de l'autre les vieux. Elle ne savait pas où elle se plaçait. La vie était devenue si rapide ces derniers temps, il n'y avait plus un instant pour la raconter. Les images qui n'avaient cessé de la hanter semblaient rentrer à présent dans un grand livre qu'il ne tenait qu'à elle de refermer. Karmin sur le coteau, la mort de son père, sa mère qui avait eu soudain la folie des grandeurs. Elle s'était approprié le cadavre de son époux. Dès lors, elle avait régné sur tous ceux qui l'entouraient. Si seulement elle avait pu posséder une urne funéraire, elle aurait coulé des jours heureux, assise dessus à régenter son monde et à cajoler la mémoire d'un mari qui ne la trouvait pas aussi jolie que les autres femmes. Merci Papa de n'avoir pas exigé l'incinération, pensa Violette. Mon Dieu, se dit-elle stupéfaite, le cadavre d'un époux est une véritable richesse pour une femme. Elle dont le mari avait disparu, flottant dans une sorte de purgatoire à mi-chemin entre la vie et le rien, ne bénéficiait pas de l'aura magique des véritables veuves. Sur le chemin qui menait la femme de la maternité à la sorcellerie, elle s'était égarée ; arrêtée dans sa progression par le doute, elle était restée au bord de la route à attendre que quelqu'un lui indiquât la voie qui lui était réservée. Elle sourit en pensant que le sort ne lui avait peut-être pas joué un si mauvais tour. Elle jeta un regard à sa voisine qui lui sourit en réponse et se sentit apaisée.

Émile n'était pas loin, assis sur une chaise, il parlait avec un grand jeune homme blond qui se tenait debout à côté de lui et le regardait avec un mélange d'admiration et de gêne. Violette comprenait que le jeune homme aurait aimé pouvoir inverser les rôles : il est plus facile d'admirer quelqu'un qui vous domine qu'une personne que l'on est forcé, par la topographie, de regarder de haut. Émile ne semblait se rendre compte de rien. Lorsqu'il tourna légèrement son visage de côté pour saluer un de ses collègues, Violette fut frappée par la ressemblance. Il avait exactement le même nez, droit comme une équerre, que le jeune homme, le même sourire aussi, si large qu'il dessinait un petit triangle noir entre les dents et la commissure des lèvres. Elle se dit que, si elle avait rencontré Émile à vingt ans, elle en serait tombée éperdument amoureuse. N'était-il pas un peu vieux pour elle ? Un homme qui pouvait avoir un grand fils comme celui-là n'avait sans doute plus rien à donner à un petit enfant. Elle avait été enceinte une fois. Le bébé était tombé avant la disparition de Tal. Il avait sans doute été informé, par les voies mystérieuses des dieux qui transitent par les airs et les eaux, que ce n'était pas la peine de persister. Tal était parti avant que la grossesse fût déclarée. D'une certaine manière, l'enfant n'avait jamais existé. Pourtant, si, il avait existé deux fois. Une fois lorsque la mère de Violette l'avait obligée à manger des épinards parce qu'il y avait du fer dedans et que le fer était bon pour les bébés, et une autre fois – mais n'était-ce pas un cauchemar ? – lorsque Violette avait cru voir, dans un coin de la salle d'accouchement où on l'avait menée en urgence, une petite forme rouge couverte de filaments gluants abandonnée dans une cuvette.

Elle s'imagina avoir un enfant d'Émile. Pour cela, il faudrait d'abord qu'ils fassent l'amour. Elle rougit. S'il avait du ventre, elle n'y arriverait jamais. Tal avait un corps magnifique. Émile tourna la tête à cet instant et la regarda. Il plissa légèrement les paupières et sourit timidement. Il m'a cueillie, pensa Violette.

Sonia regarda sa montre.

– Tu es fatiguée ? demanda Dan, qui l'avait finalement retrouvée.

Sonia se mordit la lèvre.

– Tu veux qu'on rentre ? dit Dan.

Elle n'aimait pas son rôle de marâtre rabat-joie.

Comment le simple fait de mourir pouvait-il la rendre si vieille ?

— On va rentrer, dit Dan d'un ton autoritaire, se rendant soudain compte qu'il n'avait pas le choix.

— Tu peux me déposer et revenir après, si tu veux, dit Sonia.

— Vraiment ? dit Dan.

La lueur d'espoir que Sonia lut dans l'œil de son mari la bouleversa. Je le hais, pensa-t-elle. Je lui abîme la vie, rectifia-t-elle aussitôt.

— Dan, je te présente Violette, dit-elle en se levant, c'est une amie d'Émile.

Violette se leva pour serrer la main de Jabrowski.

— Il m'a beaucoup parlé de vous, dirent-ils à l'unisson.

Sonia se sentit exclue et ne prit pas la peine de serrer la main de Violette. Elle traversa la salle à pas lents, accrochée au bras de son mari. Elle ne pouvait s'empêcher de marcher en suivant le rythme. Heureusement que c'est un slow, pensa-t-elle, sarcastique.

La plupart des invités partirent avant que l'on ait soufflé les bougies. Les pâtés et les mayonnaises avaient formé une croûte, les verres de champagne aux trois quarts vides étaient remplis de mégots. Sur le sol, diverses substances écrasées dessinaient des motifs servant de fond aux objets qui s'étaient égarés sur la piste de danse : des cuillères en plastique, des allumettes grillées, des lambeaux de serviettes en papier. Qui va ranger tout ça ? se demanda Violette. Elle avait assisté à la dispute entre le jeune homme à lunettes qui avait cassé le verre et sa femme enceinte, elle avait remarqué que le grand blond était parti avec la secrétaire d'Émile – Hortchak lui avait présenté Harriet. Violette avait dit « Ravie de faire votre connaissance » et Harriet avait répondu « Ooooooooh... », puis plus rien. Elle avait vu Mme Serment, l'intendante, dont c'était pourtant l'anniversaire, éclater en sanglots, un verre de porto à la main ; elle avait entendu des gens autour d'elle lui répéter « Cinquante ans, c'est le bel âge » et Mme Serment répondre « Le bel âge, mon cul ». Elle avait vu Émile, le regard dans le vague, faire les cent pas à travers la salle, l'air soucieux et rêveur à la fois. Elle avait regretté de ne pas avoir dansé. On n'allait tout de même pas l'oublier là, au milieu des bouteilles vides et des mégots mouillés.

– Vous venez faire un tour ? lui proposa Émile alors que les derniers convives se dirigeaient vers la sortie.

– Volontiers, dit Violette, légèrement engourdie.

Émile la conduisit vers une porte-fenêtre qui donnait sur un petit perron. La nuit était claire, il avait cessé de neiger et l'air était si doux qu'on aurait pu croire à l'arrivée subite du printemps. Émile et Violette s'assirent sur les marches qui menaient au jardin de l'Institut. Violette leva la tête vers le sommet des arbres, sur lesquels tremblotaient des petits paquets de neige. Elle se sentait aussi légère que ces flocons et se laissait bercer par la danse des branches qui frémissaient dans le vent. Émile fixait les troncs sombres et tentait de rassembler ses forces. Il avait l'impression de manquer de courage. Il aurait aimé puiser dans la nature la force qui lui faisait défaut. Il ouvrit les narines et s'efforça de laisser la douceur de l'air pénétrer en lui. Il leva le menton pour laisser la brise caresser son cou. Il avait froid et craignait que la brique humide ne laisse une marque déshonorante à son fond de pantalon. Comme il se lassait vite. Il avait envie de tourner les yeux vers Violette, mais elle était si recueillie ; il ne voulait pas la déranger. Il avait surtout peur qu'elle ne se rende compte qu'il s'ennuyait. Un oiseau chanta deux notes aiguës, puis deux notes graves. Émile chanta avec lui mentalement pour passer le temps. Un corbeau croassa d'une voix éraillée, Émile sourit. Au second cri du corbeau, Violette lui prit la main sans le regarder. Elle la serra fort. Le cœur d'Émile se retira, entraîné par une marée à jamais descendante.

Dan alluma la radio. Charles Trenet chantait *Y a d'la joie*, et ce n'était vraiment pas le moment. Il aurait dû rester avec Sonia, se coucher avec elle et faire semblant de s'endormir, mais son corps n'était pas assez fatigué, il était plein d'une affreuse énergie. Plus elle dépérirait et plus il rajeunirait, c'était la malédiction qui semblait s'être abattue sur eux. Il appuya sur l'accélérateur dans le virage pour maintenir sa trajectoire et passa en cinquième avec volupté. Conduire seul la nuit, quel plaisir ! Une des nombreuses ivresses auxquelles il avait renoncé pour l'ivresse unique du mariage. Un goût amer se répandit dans sa bouche. Les médicaments donnaient une haleine détestable à Sonia. Comme il aimait l'embrasser, avant ; sa bouche avait le même parfum de mûre que le creux de son cou. Lorsqu'il faisait froid, il glissait les deux mains entre ses cuisses et elle ne frissonnait pas. Elle endurait la différence de température en faisant mine de l'ignorer parce qu'elle était parfaite et qu'elle avait la réponse à tous ses maux. Aucun effort, aucun échec n'effrayait Dan ; il accomplissait son travail et affrontait la vie, les pouces secrètement passés dans des bretelles imaginaires. Le jour, il donnait l'impression à ses collaborateurs, à ses banquiers, à ses adversaires, d'un homme qui se bat tête baissée et qui vainc à force de courage et d'obstination. La nuit, il se glissait dans son lit comme dans un rêve et mangeait Sonia des mains et de la bouche tandis qu'elle lui donnait des centaines de noms tendres et lui passait inlassablement la main dans les cheveux. Sous ses dehors ascétiques et sévères, il cachait un sourire invisible, le sourire de l'homme qui se sait aimé à la folie par une femme dont aucun autre n'a touché la peau.

Au carrefour, il démarra en faisant crisser ses pneus et pensa qu'il aurait été facile d'avoir un accident mortel à une heure et demie du matin, sur une route mouillée. Des pylônes, il y en avait tous les cinquante mètres, il n'avait qu'à choisir. Mais ne pas craindre la mort était un privilège réservé à Sonia, l'idée d'une simple égratignure lui donnait des sueurs froides. Il eut honte d'avoir vainement envisagé le suicide. Il vit les yeux de sa mère à la descente du train, lorsqu'on les avait séparés ; son regard empreint d'une sévérité dont il n'était jamais parvenu à percer le mystère. Elle savait qu'ils ne se reverraient jamais. Un soldat lui avait donné un coup de crosse dans les côtes et elle avait à peine bougé. Elle gardait les yeux fixés sur son fils, comme pour imprimer dans sa chair un dernier message. « *Vis !* » C'était l'ordre qu'elle lui avait donné alors, et qu'elle continuait de lui donner à présent. Moi, j'ai trente-huit ans et une toux chronique, je ne tiendrai pas longtemps, mais toi, tu es un grand garçon, plein de vigueur, je ne t'ai pas élevé pour que tu serves de pâtée aux chiens allemands. Tu vis, sinon Maman ne t'aime plus. Dan fit rouler la voiture sur le bas-côté et coupa le contact. La tête posée sur le volant, il pleura silencieusement.

Lorsqu'il arriva à l'Institut, la salle de réunion était éteinte. Il gara sa voiture devant l'entrée et aperçut une lumière au premier étage.

Émile était assis face à son bureau, les mains posées à plat de chaque côté d'une feuille blanche. Il était sur le point d'écrire une lettre à Violette mais n'avait aucune idée de ce qu'il devait lui dire. *Je vous veux.* Cela ne suffisait pas à remplir décemment une grande page immaculée, et quelle femme aurait aimé lire une phrase pareille ? Il était ridicule. Lorsqu'elle lui avait pris la main, il avait été si profondément troublé qu'il n'avait su quoi faire. Ils étaient côte à côte et ça ne rendait pas les choses faciles. Pour embrasser quelqu'un dans ces conditions, il faut faire beaucoup trop de chemin. Il avait serré ses doigts jusqu'à les rompre et avait senti son bras se crisper. Il lui avait fait mal. Au bout d'un moment, tout s'était tu autour d'eux. La nature s'était brusquement endormie. Il avait entendu l'air entrer et sortir de la bouche de Violette. Si elle avait respiré par le nez comme tout le monde, il ne se serait rien passé, mais il avait reconnu le voile caractéristique qui accompagne ce genre de respiration si proche du soupir. De sa

main droite, il avait saisi son menton pour tourner son
visage vers le sien. Il aurait aimé qu'elle eût les yeux
baissés, mais c'était Violette, et elle avait les yeux grands
ouverts. Il s'était rapproché d'elle, très lentement. Un
point névralgique s'était éveillé dans le bas de son dos
et il avait failli renoncer, mais, à cet instant, Violette
avait penché la tête en arrière, très légèrement, la bouche
entrouverte, le souffle court.

Elle l'avait embrassé deux secondes, très doucement,
les lèvres aussi naïves et fraîches que celles d'un nouveau-né. Ensuite elle s'était levée, elle avait lissé sa robe
sur ses cuisses et elle était partie sans se retourner, se
dandinant légèrement sur ses talons, laissant flotter derrière elle la petite main blanche qu'il avait si longuement
tenue, en signe d'adieu.

— Salut, vieux croûton, dit Hortchak en voyant entrer
Jabrowski dans son bureau.

— Je t'en sers un ? lui demanda Dan en posant sur le
bureau une bouteille de vodka et deux verres en plastique qu'il avait trouvés dans la salle de réunion déserte.

Émile hocha la tête. Les deux amis burent longuement, sans parler. De temps en temps, l'un ou l'autre
hochait la tête ou partait d'un bref éclat de rire. Émile
cherchait un angle d'attaque ; cela faisait si longtemps
qu'il n'avait pas parlé à Dan qu'il ne savait plus très bien
comment s'y prendre. Pourtant, si l'on ne parlait pas de
ça avec son plus vieil ami, avec qui en parlerait-on ?

— Est-ce que tu fais encore l'amour avec Sonia ? lui
demanda-t-il enfin.

Jabrowski resta muet. Il n'était pas surpris par la question, encore moins choqué, mais il ne savait quoi répondre. S'il disait oui, il mentirait, et pourtant, il ne pouvait pas dire non.

— Je n'ai jamais été très porté sur la chose, dit-il d'un ton hésitant.

Émile le regarda, un sourire en coin sur les lèvres. Il se souvenait de Dan avant son mariage, le petit intello à lunettes à l'humour décapant qui faisait fondre toutes les filles. Ils avaient partagé deux ou trois maîtresses et elles avaient laissé comprendre à Hortchak qu'il était un amant médiocre comparé à son petit camarade. Il se rappelait la jalousie mordante. Il se mit à rire et tira l'oreille de Jabrowski.

— Voyou, lui dit-il.

Mais Dan ne rit pas. Il se gratta la tête et, très difficilement, se mit à parler, d'une voix à peine audible.

— Sonia est ma compagne, dit-il. Quand je me couche près d'elle, au moment où les draps retombent sur nous, le parfum de son corps — le parfum des mûres — monte jusqu'à moi...

Sa voix se brisa. Il se prit la tête dans les mains. Hortchak vint s'asseoir près de lui et passa son bras autour de ses épaules. Ils restèrent longtemps immobiles, blottis l'un contre l'autre, comme deux orphelins épouvantés qui pensent au loup caché dans la forêt sans oser le nommer.

Ce qu'il me faudrait, pensa Sonia, c'est une bonne douche, et puis un lait chaud parfumé à la fleur d'oran-

ger. Elle n'arrivait pas à trouver le sommeil. Avec sa chemise de nuit en coton trop épais, elle avait l'impression
d'être une chenille empêtrée dans son cocon. Elle tenta
de se redresser en prenant appui sur son coude, mais la
douleur la cloua à l'oreiller. Un bon lait chaud à la fleur
d'oranger, ou un jus de citron bouillant plein de miel
fondu. « Maman », dit-elle entre ses dents. Il n'y a plus
personne pour s'occuper de moi, pensa-t-elle. Elle se
revit enfant, dans le petit appartement obscur de la rue
du Marché, à Varsovie. Elle avait de la fièvre, et les
ombres dessinées sur les murs par le passage incessant
de ses frères et sœurs qui jouaient dans l'autre pièce lui
faisaient croire qu'elle était perdue dans la forêt, cachée
sous la voûte d'arbres menaçants, allongée dans la
mousse en attendant d'être dévorée par les bêtes sau-
vages. Les seuls sons qui lui semblaient encore familiers
étaient le tic-tac de l'horloge et le pas de sa mère, vif et
rassurant. Sa mère marchait dans sa tête, de la cuisine
au salon, les bras chargés de pain, une veilleuse dans
chaque main. Sa mère disait « chut ! » aux petits enfants
et c'était le bruit du vent dans les rameaux. Une porte
claquait et Sonia sentait les larmes lui monter aux yeux.
« Maman », murmurait-elle, « Maman, ne me laisse pas
toute seule dans la forêt ». Sa mère était entrée dans la
chambre aux volets fermés, un verre de thé fumant
devant elle. « Mon petit bouleau », dit-elle en se penchant vers sa fille. Elle avait posé le verre sur la table
de nuit et avait collé ses lèvres au front de Sonia pour
prendre sa température. « Petit bouleau brûlant », avait-
elle chuchoté. « Bois ton citron et dors. » Sonia s'était

redressée contre ses oreillers, elle s'était brûlée en avalant la première gorgée. Elle avait essayé de détourner la tête, mais sa mère la tenait par la nuque, et, avec une douceur obstinée, elle lui avait fait finir le verre. « La maman vache lèche son petit veau », avait-elle dit en reposant le verre vide, et Sonia avait tendu la joue. Sa mère l'avait léchée une première fois. « La maman chèvre lèche son chevreau », et Sonia avait tendu l'autre joue. « La maman chien lèche son chiot », Sonia avait tendu le front. « La maman chat lèche son chaton », Sonia avait tendu le menton. Le visage barbouillé de la salive de sa mère, elle s'était laissée tomber au fond de son lit. « Maman lèche et la maladie a peur », avait enfin dit sa mère. « La maladie a peur que Maman la mange, alors, pendant la nuit, elle va partir très loin et ne jamais revenir. » Sonia avait fermé les yeux et s'était endormie.

Sonia léchait souvent le visage de ses enfants quand ils étaient petits, mais Dan, qui, pour une raison mystérieuse, n'appréciait pas cette pratique, avait convaincu son épouse d'y renoncer. Les enfants avaient continué de guérir et Dan avait triomphé. « Tu vois », lui avait-il dit, « le rationalisme existe aussi chez nous. Les antibiotiques, c'est pas fait pour les chiens. Laisse les animaux se lécher, nous on a les grands moyens. » Sonia était sereine car, dans la cuisine, avant de verser le sirop, elle avait léché sept fois la cuillère. Quand les enfants avaient grandi et qu'ils étaient passés aux gélules, elle s'arrangeait pour lécher le verre. Qui léchait les médicaments de ses enfants maintenant ? Et qui me léchera moi ? se demanda-t-elle, éperdue. Lèche-moi, Maman.

Et sa mère lui apparut.

Dans la cour de l'immeuble de la rue du Marché, elle se tenait debout sur le pavé, une bassine pleine de linge posée contre son ventre. Sonia la regardait d'en haut, appuyée au balcon. « Petit bouleau », appelait sa mère en regardant la fenêtre de l'appartement. Sonia se pencha et dit : « Laisse-moi jouer avec mes frères et sœurs. » « Petit bouleau », criait-elle encore, « tu as assez joué, il faut venir m'aider maintenant. » Sonia se pencha de nouveau et vit sa mère poser la bassine sur le sol, tirer un drap et s'en couvrir la tête. Elle se pencha encore et tomba mollement par la fenêtre. Elle sut qu'elle ne s'éveillerait plus jamais.

9

Il y a des nuits où la magie et l'horreur quittent les livres de contes pour aller tourbillonner dans les rues et sur les chemins. Il suffit d'une fenêtre entrouverte pour qu'elles se glissent chez les gens. Au matin, on se souvient que la lune n'avait pas le même éclat et que le vrombissement des moteurs ne suffisait pas à couvrir la colère surnaturelle dont on s'efforçait de faire taire la voix. C'est dans la nuit que les enfants naissent et que les vieillards meurent. Certains enfants et certains vieillards seulement. Il n'y eut personne pour recueillir le dernier souffle de Sonia.

La voiture de Dan zigzaguait légèrement sur la route humide.

— Passe en troisième, dit Émile.

— Tu crois ? demanda Dan. On ne va pas vite. Ça sert à quoi ?

— Ça sert à faire moins de bruit.

— Ce n'est pas la voiture qui fait ce bruit-là.

— C'est quoi, alors ? questionna Émile.

— C'est la musique des sphères, déclara Dan d'un ton sentencieux.

Hortchak éclata de rire. Surpris, Jabrowski fit une embardée qui faillit les envoyer dans le fossé.

— Laisse-moi le volant, ivrogne, dit Émile.

— Personne n'a le droit de conduire ma voiture, répondit Dan. Elle n'obéit qu'à moi.

— Elle a raison, dit Émile en gloussant. Je n'ai pas mon permis.

— Tu n'es pas un vrai homme, alors, dit Jabrowski en faisant demi-tour parce qu'il avait raté l'embranchement qui menait à sa rue.

— Non, c'est vrai, bredouilla Émile. Je suis un extra-terrestre.

Jabrowski et lui se mirent à rire si fort qu'ils arrêtèrent la voiture et coupèrent le moteur.

— Viens, on finit à pied, dit Dan en abandonnant le véhicule le long du trottoir.

Ils se prirent par le bras et marchèrent, très lentement, ne sentant pas le froid, chantonnant des bribes d'airs sur lesquels ils esquissaient quelques pas de danse. Lorsque l'un trébuchait, l'autre le retenait.

— Moi, ce que j'aime ici, dit Jabrowski, en embrassant le pâté de maisons d'un large geste du bras qui manqua leur faire perdre l'équilibre, c'est que ça ne change jamais.

— Pourquoi tu dis ça ? demanda Hortchak.

— Parce que c'est la vérité. Toujours les mêmes petits pavillons, le même genre d'arbres dans les jardins. Ima-

gine que tout à coup on se retrouve trente ans en
arrière...

— Ouïe ! trente ? Je n'aurais jamais cru qu'un jour je
pourrais revenir trente ans en arrière. On est tellement
vieux ?

— Non, on n'est pas vieux. Moi, j'ai la trentaine, dit
Dan en redressant les épaules.

— J'ai mal partout.

— Non, je te dis qu'on est revenus en arrière. La voiture a cafouillé, elle s'est transformée en machine à
remonter le temps. Toi, tu es un gamin. On a combien
de différence ?

— Je n'ai pas la tête à calculer, dit Hortchak d'un ton
bourru. Je n'ai pas non plus la tête à croire tes imbécil-
lités.

— Mais si, dit Jabrowski. La rue était la même. Les
pavés, les acacias, l'odeur de la nuit, la neige sur les murs
d'enceinte et sur les toits des voitures.

— Et alors ? demanda Hortchak.

— Alors, qu'est-ce que tu fais ? Tu as vingt ans et tu
marches dans la rue — avec moi ou pas avec moi, peu
importe. Tu marches et tu vas quelque part. Où est-ce
que tu vas ?

Émile sourit. Il s'arrêta de marcher et lâcha le bras de
son compagnon. Il se mit à hocher la tête sans dire un
mot, le regard fixe.

— Qu'est-ce que tu as ? s'inquiéta Jabrowski. Tu ne
vas quand même pas me faire un infarctus ?

— Un infarctus ? À vingt-quatre ans ? dit Hortchak en
se tapant sur la poitrine. Alors que je vais tout droit chez

Irina ? À chaque pas, je lui enlève un vêtement. C'est un fantasme, bien entendu.

— Bien entendu, répéta Jabrowski.

— Je lui enlève un vêtement à chaque pas et, au bout de la rue, elle est tellement nue que je la rhabille entièrement. Plus j'avance vers chez elle, plus je la couvre. Jupon, triple jupon, culotte, panty, corset, combinaison, chemise, chemisier, pull, manteau, fichu...

— Qui est cette femme ? demanda Jabrowski.

— Je ne te la présenterai pas. Ce n'est pas la peine d'insister. Je ne veux pas que tu me la souffles. De toute façon, son père ne voudrait pas de toi.

— Pourquoi ? demanda Dan outré.

— Parce que tu es trop petit, et trop maigre aussi. Son père a une idée très précise du gendre qu'il lui faut. Et moi, tu vois, je corresponds exactement à cette idée. Je suis grand — Émile s'arrêta de marcher pour prendre des poses —, je suis bien fait, je viens d'une bonne famille...

— Une bonne famille ? reprit Dan stupéfait. Une mère célibataire, tu appelles ça une bonne famille ?

— Excusez-moi, monsieur, répondit Émile. Je n'ai pas eu la chance de la perdre dans un poêle allemand, moi.

Jabrowski s'écarta brutalement de son ami pour lui décocher un coup de poing dans le ventre. Il n'avait pas eu l'intention de lui faire mal — c'était un jeu — et il le rata d'un bon mètre. Emporté par son bras, il bascula en avant et se retrouva le nez dans le caniveau. Hortchak se pencha aussitôt vers lui pour l'aider à se relever, mais Jabrowski le repoussa.

— Laisse, laisse, à trente ans, on est souple comme un roseau.

Dan se releva et faillit perdre à nouveau l'équilibre en voulant frotter son pantalon à l'endroit du genou.

— Sonia va me tuer, marmonna-t-il.

— Pardon ? dit Hortchak. J'ai mal entendu. Sonia ? Tu ne connais pas encore Sonia. Tu fais les yeux doux à la rouquine de l'amphi depuis deux semaines.

— Comment elle s'appelait déjà ?

— Josette, dit Hortchak d'un ton rêveur. Josette Vitré-Cerdan.

— Je croyais qu'elle était noble, dit Jabrowski. Très longtemps j'ai cru que les gens qui avaient des noms composés étaient nobles.

— On apprend ça à l'école communale, coupa Hortchak. La particule et tout ce qui s'ensuit.

— Oui, concéda Jabrowski. Je ne peux pas dire que je ne le savais pas. Si on me l'avait demandé, je l'aurais expliqué, et dans le détail avec ça. Mais parfois, ce que l'on croit n'a rien à voir avec ce que l'on sait. C'est comme si la croyance et le savoir se logeaient dans des parties du cerveau imperméables l'une à l'autre. Tu ne penses pas ?

— Si, dit Émile en s'arrêtant devant la grille du jardin des Jabrowski. C'est exactement ça. Si je l'avais su, au moment où je marchais dans la rue en déshabillant Irina, je...

Hortchak sentit sa gorge se serrer. Il ne comprenait pas comment un souvenir si lointain pouvait le faire souffrir autant. Il semblait même que la douleur ne faisait qu'augmenter avec le temps. Pendant des années, il avait vécu sans jamais penser à elle. Son visage lui revenait en mémoire l'espace d'un instant, s'il apercevait un chignon de boucles blondes, ou s'il entendait ne fût-ce qu'une mesure de *Misty*. Mais, en dehors de ces rares apparitions, elle semblait ne jamais avoir existé. Elle était rangée dans un placard magique, aux côtés de toutes les belles dames qui avaient fait battre son cœur d'enfant : Vassilissa Primoudra, la jeune fille dont la sagesse était si grande qu'on ne pouvait la comparer qu'à son admirable chevelure blonde, balayant le sol comme pour effacer les traces de ses pieds minuscules dans la neige ; la jeune femme de Barbe-Bleue, qui n'avait pas de nom et dont les doigts maigres et tachetés de sang glissaient dans les bulles de savon ; la reine de Saba dont il entendait la voix âcre et profonde psalmodier sa chanson : « Je suis noire et je suis belle. »

Pourquoi avait-il fui Irina au lendemain de leurs noces secrètes ? Il n'aurait su le dire. Il se rappelait le dégoût des corps, la déconvenue de l'amour mal fait, les ronflements du père dans la chambre voisine. Un instant, pourtant, il avait été heureux, comme un enfant qui trouve un morceau de verre roulé par les vagues et pense qu'il tient là un trésor. Il suffit de voir briller un rubis dans le ventre d'une femme pour se changer en magicien. C'est bien ainsi que l'on fait les enfants, dans le désordre des formules incantatoires murmurées à l'oreille et la rage innée qui dépassent l'entendement. Il n'est pas même nécessaire d'y croire. L'illusionniste est dépassé par son art ; il ignore que, tel le kabbaliste menacé par la puissance du golem modelé de ses mains, il portera à jamais le poids de ce tour de passe-passe.

L'enfant aura été élevé par le grand-père. La mère aura continué de chanter dans les bars et sera morte assez vite, de honte ou de fatigue. Le vieillard aura eu beaucoup de mal à vêtir l'enfant. Souvent le gamin sera sorti de la maison avec une chemise mal boutonnée et des pantalons dégrafés à la ceinture. Il aura eu les cheveux trop longs ou trop courts. Il n'aura pas connu les tartines et le lait tiède, il se sera nourri, en piquant dans le plat de son aïeul, de cornichons au sel et de harengs gras. Il aura traîné des heures dans la rue, et rêvassé pendant de longues soirées parmi les corps dansant d'avant en arrière d'hommes absorbés par les prières, heureux comme celui qui n'a rien connu d'autre et ne sait pas ce qu'il rate. Quel magnifique adolescent ! Le front couvert de boucles blondes, le corps sain et les dents blanches qui n'ont jamais connu le sucre, le rire prompt et la tête vide, prête à s'emplir de formules, de lettres et de figures, si innocent et privé de caresses que les veines bleutées d'un poignet de jeune fille l'enchantent pour dix jours. Mon fils. Mon golem secret. Mon orphelin parfait.

Émile chancela. Il s'adossa au tronc frêle d'un prunier, les mains dans les poches, les yeux fermés, respirant l'air de la nuit pour chasser son ivresse.

— On entre ? demanda timidement Jabrowski.

Hortchak haussa les épaules.

— Viens, lui dit son ami en le prenant par le bras. On ne fera pas de bruit. De toute façon, Sonia ne dort pas. Regarde, il y a de la lumière.

Il leva l'index vers la fenêtre du premier étage.

— Allons la voir, ajouta-t-il. Ça lui fera plaisir. D'habitude, je m'endors avant elle. Elle s'ennuie jusqu'à l'aube. Il n'y a que l'ennui qui puisse l'endormir.

— Vas-y, toi, dit Émile. Je ne veux pas vous déranger. Je n'ai plus l'âge d'entrer la nuit dans la chambre des filles.

— On n'a pas d'âge ce soir, dit Dan. Nous avons tordu le cou à la chronologie.

Il mima le geste tandis qu'Émile faisait un bruit de craquement. Ils se mirent à rire et entrèrent dans le pavillon. Ils titubaient légèrement, bras dessus bras dessous. Ils fredonnèrent encore quelques bribes de chansons qu'ils agrémentèrent de pas de claquettes sur le carrelage de la cuisine.

— Chut, dit Jabrowski à Hortchak en s'engouffrant dans l'escalier. La Belle au Bois Dormant va se douter de quelque chose.

— Tu te trompes d'histoire, mon vieux, murmura Émile. C'est Blanche-Neige et les deux nains.

Jabrowski dut s'asseoir sur une marche pour apaiser son fou rire, tandis qu'Émile le menaçait de mille tortures s'il ne cessait pas ce vacarme.

— Toi, tu es Prof, dit Jabrowski, et moi, je suis Rieur.

— Il n'existe pas, dit Hortchak, soudainement dessoûlé.

— Qui ça ? demanda Dan.

— Il n'y a pas de nain qui s'appelle Rieur, répondit Émile à bout de nerfs.

Il avait envie de partir. Il n'avait rien à faire là. Pourtant, il lui semblait qu'il devait bien ça à Sonia, sans pouvoir se l'expliquer davantage.

La porte était entrouverte. Des rayons de lumière dorée glissaient sur le tapis du palier et sur les murs. Il n'y avait pas un bruit. Émile pensa aux *Étrennes des orphelins*, un poème de Rimbaud qu'il avait appris par cœur au collège, à l'époque où il aurait tout donné pour être catholique et connaître l'amère déception d'un Nouvel An raté. Le chagrin des petits orphelins lui semblait alors si digne.

Jabrowski entra le premier.

Quelle différence y a-t-il entre une femme qui dort et une femme qui meurt ?

Hortchak s'effondra au pied du lit et se mit à sangloter.

Jabrowski s'agenouilla au chevet de Sonia, prit sa tête au creux de son épaule et lui caressa les mains du bout des doigts.

– Elle est intacte, dit-il. Absolument intacte.

10

Violette ouvrit les yeux à l'aube, comme si quelqu'un lui avait touché l'épaule. Le ciel bleu profond était balayé de voiles jaunes, un minuscule croissant de lune souriait, penché dans le coin de la fenêtre. Les oiseaux chantaient si fort qu'elle regarda autour d'elle pour s'assurer qu'ils n'étaient pas entrés dans sa chambre pendant la nuit. Lorsqu'elle referma un instant les paupières, la mémoire lui revint. Mon Dieu, se dit-elle, qu'ai-je fait ? Elle dessina du bout de l'index les contours de sa bouche et son cœur se mit à battre plus fort dans sa poitrine.

Ce que j'ai fait, je l'ai bien fait, dit-elle en reprenant une expression de sa mère dont elle n'avait jamais, avant ce jour, perçu la signification. Ce que j'ai fait, je l'ai bien fait, disait la femme en noir de retour du cimetière à sa belle-sœur qui, entre deux sanglots, s'efforçait de convaincre la veuve qu'elle n'aurait pas dû filer comme une voleuse, une fois la cérémonie terminée, sans attendre de recevoir les condoléances de tous ceux qui étaient venus assister à l'enterrement de son époux. Ce que j'ai fait, je l'ai bien fait, avait-elle dit plus tard pour elle-même, en débarrassant la table d'un revers de main pour faire tomber les épluchures de « pépites » et de graines de tournesol sur le carrelage. Contrairement à la coutume, elle n'avait pas offert à ses visiteurs, venus pleurer avec elle la perte de son mari, les gâteaux, les fruits secs et les confitures dont chacun pouvait décemment espérer se régaler afin de dissiper l'effroi ressenti face à la tombe fraîchement creusée. Elle ne fait rien comme tout le monde, avait-on murmuré en passant sa porte, et Violette se rappelait s'être alors demandé quel camp elle était censée choisir, celui de sa mère ou celui des autres, qui n'étaient certes pas aussi proches d'elle, mais dont elle percevait confusément qu'ils prenaient la défense de son père. Assise sous la table, elle avait vu des dizaines de pieds défiler et les avait questionnés inlassablement. Maman ne respecte pas les morts ? Pourquoi Maman n'a pas pleuré ? Et toi, petit pied de ma tante, pourquoi, dis-moi, la sandale de ma mère t'a-t-elle écrasé trois fois ? « Sors de là, vilaine », lui avait dit sa mère, « tu vas salir ta belle robe rose. » Comme Violette aurait aimé la salir, la salir suffisamment pour la rendre noire. Elle avait demandé à sa mère de se changer pour l'enterrement. Ce n'est pas la peine, lui avait-on répondu, tu restes à la maison ; les enfants ne vont pas au cimetière. Violette aurait quand même voulu mettre une robe triste, peut-être même une robe longue. Aux pieds de son oncle qui s'étaient couverts de poussière dans leurs chaussures ajourées, elle avait dit : « Vous êtes beaux en gris, mon papa serait content de voir comme vous êtes devenus gris pour lui. » Elle était sortie de sa cachette en pleurant et la cousine de sa mère l'avait serrée contre elle. Je ne pleure pas à cause de Papa, aurait-elle aimé dire ; je pleure parce que je voudrais avoir une robe grise.

Violette prit la poupée de terre et l'installa à côté d'elle dans le lit, au milieu d'un oreiller. Maman a beaucoup changé après la mort de Papa. C'est comme si elle était devenue riche. Elle a arrêté de parler à ses voisines, à la famille aussi. Toutes les semaines, on allait au cimetière et elle me donnait un chiffon pour que j'astique la pierre tombale. J'aimais faire briller le marbre. À la fin, je me voyais dedans. J'aimais aussi tracer les lettres du bout du doigt en suivant les sillons plus foncés. En sortant, on allait boire une citronnade. Quand Papa était vivant, Maman et moi, nous n'allions jamais à la buvette. Maman restait toute la journée à la maison, et moi, quand je rentrais de l'école, j'allais jouer dans la cour. Après la mort de Papa, je n'ai plus eu d'amis. Quand un autre enfant s'approchait de moi pour me parler, sa mère le rappelait. Le seul qui m'adressait encore la parole, c'était Karmin, parce que sa mère n'était jamais là pour le lui interdire. Nous allions dans l'étable et il me disait de compter les brins de paille sur le sol. Je m'accroupissais et je me mettais à compter. Pendant ce temps, il s'allongeait par terre et posait des brins de paille sur sa poitrine et sur son visage. Quand j'arrivais à cent, je m'approchais de lui et je comptais les brins qui le recouvraient, en les touchant du bout des doigts. Il me disait que j'avais les mains douces et que je sentais bon. À cinq cents, le jeu s'arrêtait et c'était mon tour de m'allonger par terre pour qu'il me recouvre de foin. Il posait les petites tiges parfumées une par une sur mes joues et dans mon cou. Nous ne parlions pas. Je finissais souvent par m'endormir, et lorsque je m'éveillais, il n'était plus là.

Un jour, ma mère est entrée dans l'étable pendant que je comptais sur le visage de Karmin. Je ne sais pas comment elle nous a trouvés. Elle lui a donné un coup de pied, un coup de pied dans la tête, je crois, et nous sommes parties, elle et moi. J'ai entendu Karmin crier, mais je ne suis pas retournée pour le voir. J'ai pensé : ce qu'elle a fait, elle l'a bien fait, et la semaine suivante, nous sommes parties pour la France.

Comme elle était devenue riche, elle a acheté un pavillon en banlieue, et c'est là que nous sommes maintenant. Je n'ai jamais aimé cette maison parce que je n'avais pas le droit d'y inviter mes amis. Je n'avais pas d'amis, mais j'ai toujours pensé que j'évitais de m'en faire pour ne pas risquer d'être invitée chez eux, sachant que je ne pourrais pas leur rendre la politesse. Lorsque j'ai rencontré Tal, je l'ai tout de suite aimé à cause de son accent étranger ; il était israélien. Ma mère détestait les Israéliens, elle les appelait « les parvenus ». Moi, je me disais que si on se mariait, il m'emmènerait dans son pays. C'était à une manifestation. Je ne voulais pas spécialement y aller, mais toute la classe est partie du lycée pour prendre le bus qui allait à Paris, alors j'ai suivi. Tal était l'ami du frère d'une fille de ma classe. À un moment il fallait qu'on se tienne tous par le bras pour avancer ensemble, et j'étais à côté de lui, il m'a pris le bras. Ce soir-là, je ne suis pas rentrée à la maison. C'était la première fois. Tout ce que me demandait Tal, je le faisais. Il m'a demandé d'aller au café avec lui, j'y suis allée. Il m'a demandé si je voulais bien lui donner la main et je la lui ai donnée. En arrivant devant chez lui, il a demandé s'il pouvait m'embrasser et j'ai dit oui. Dans sa chambre, il m'a enlevé tous mes habits. J'avais peur que ses parents arrivent, mais je n'ai rien dit. Ensuite il m'a regardée, très longtemps, et s'il m'avait demandé de me jeter par la fenêtre, j'aurais sauté. Il m'a embrassée sur le ventre et ensuite il m'a couchée dans son lit. Quand je suis rentrée le lendemain matin chez ma mère, j'ai trouvé une valise dans l'entrée avec toutes mes affaires. Je l'ai prise et je suis partie. Nous ne nous sommes pas dit au revoir. Deux mois plus tard, après le bac, Tal m'a emmenée dans son pays pour le mariage. Je n'ai pas envoyé de faire-part à ma mère. Tout se sait. Quelques jours après le départ de Tal pour l'armée, elle a débarqué à la maison. Elle m'a dit qu'une fille dans mon état avait besoin de sa mère. Je ne sais pas comment elle a su que j'étais enceinte. Quand nous sommes rentrées pour la seconde fois en France, elle m'a dit que je pouvais inviter des gens, si je voulais, mais je n'en ai jamais eu envie. Émile a été le premier étranger à passer cette porte. Véronique, l'infirmière, a été la deuxième personne, ce qui prouve bien qu'il n'y a que les premières fois qui comptent.

C'est à ce moment-là que Violette dut se rendormir, car lorsque sa poupée se leva pour lui parler, ça ne pouvait être que dans un rêve. La figurine commença par s'asseoir sur l'oreiller, jambes écartées, bras tendus vers l'avant, comme un ours en peluche. Violette n'avait pas besoin de tourner la tête pour la voir. Dans les rêves, nos yeux sont comme ceux de Dieu. Alors que le soleil inondait la chambre, la poupée s'anima, souple et vive comme une petite personne. Elle se mit à marcher, escalada les plis de la couverture et vint se poster sur les genoux de Violette, droite comme un I, le visage aux traits mal dégrossis évoquant celui d'une mongolienne. Violette voulut tendre le bras pour la toucher, mais elle n'avait aucune force. La poupée fit un bond sur place et lorsqu'elle retomba sur ses petits pieds de terre malformés, son visage se tordit. La cavité qui lui servait de bouche se creusa, se creusa tant qu'elle lui dévora le visage. Muette, elle criait, rongée par sa bouche. Violette voulut la rassurer, mais sa voix avait déserté son gosier et sa langue restait collée à son palais. Lentement, la poupée se déchirait. À la fin, il ne resta plus sur la couverture qu'un tas d'asticots grouillants.

Lorsque Violette s'éveilla en sursaut, elle ne put s'empêcher de bondir hors de son lit en apercevant, tout près de son visage, le petit corps brun et intact. Elle alla boire un verre d'eau et, pour la première fois depuis longtemps, se prit à regretter sa mère. Si elle avait été là, elle aurait su lui indiquer le sens de son rêve aussi clairement que si elle l'avait lu dans un livre. Elle avait un don pour ça. Sans posséder un talent comparable, Violette était suffisamment perspicace pour savoir que, contrairement aux apparences, ce songe n'était pas morbide. La tête froide, elle prit sa poupée et l'enveloppa dans un vieux journal avant de la ranger sous une armoire. Elle savait que le temps se chargerait pour elle de déchiffrer les signes. Pour le moment, elle pouvait se contenter de séparer le monde des rêves de celui de la veille, comme le lever du soleil départage le jour et la nuit, et, pour cela, une feuille de papier était amplement suffisante.

Elle se mit à ranger la maison, frénétiquement, une éponge dans une main, un chiffon dans l'autre, un bidon d'eau de Javel glissé dans la poche de son tablier. Elle ouvrit toutes les fenêtres et se crut à la mer. Lorsque la petite aiguille de l'horloge s'arrêta sur le 9, elle rougit. Elle se demanda si Émile la tutoierait, comme dans les films : on s'embrasse et après on se dit tu. Elle ne voyait pas comment elle-même y parviendrait. Il était tellement plus vieux qu'elle, tellement plus intelligent aussi. Est-ce que je l'aime ? se demanda-t-elle. Elle rougit de nouveau et redoubla d'efficacité, un torchon coincé sous le menton, la serpillière à ses pieds. Il arriverait en retard, elle avait juste le temps de finir. Elle ne pensa pas un instant à se pomponner ; quand on aime une femme – elle en était convaincue –, on l'aime aussi en tablier, les cheveux en bataille et les pieds nus dans ses savates. On la prend dans ses bras et, quoi qu'elle ait sur le dos, on la déshabille en la poussant vers un divan ou vers un lit. Parfois, on la jette par terre et elle n'a pas un bleu le lendemain. D'autres fois, on la plaque contre un mur, mais Violette n'imaginait pas Hortchak lui faisant subir quoi que ce soit de ce genre. L'homme garde sa chemise et parfois ses chaussettes. Si elle avait pu choisir, Violette aurait préféré un amant aux pieds nus. On a les yeux clos et, si on veut, on peut fermer les rideaux et éteindre la lumière. On est comme des animaux, on halète et on gesticule, on fait des bruits qu'on n'a jamais faits avant.

Lorsqu'elle croisa son reflet dans le miroir de la salle de bains, Violette se rendit compte qu'elle n'avait en réalité pas la moindre idée de ce qui l'attendait. Elle n'avait pas fait l'amour depuis si longtemps qu'elle ne faisait plus la différence entre les scènes qu'elle avait vues au cinéma et celles qu'elle avait envie de vivre. Je ne suis pas comme ça, se dit-elle. Je suis une princesse. Je garde les yeux ouverts, on me porte au creux des bras et on m'embrasse de l'orteil au bout du nez, on dépose des pétales de rose sur mon corps et on les souffle un à un, ensuite, je ne sais pas, je crois qu'on ne sait plus comment on s'appelle et que quelque chose bascule, le lit, la terre, le ciel. On se rend et personne ne gagne, à un certain moment on ne sait plus qui est dans qui, où s'arrête quoi. Oui, ça, elle s'en souvenait, la confusion.

Ce jour-là, pour la première fois depuis trois mois, Émile ne vint pas.

Vers dix heures, Violette sortit au jardin, sa bêche sous le bras. Elle retourna un carré de terre de deux mètres sur deux. La neige avait en partie fondu et la rue, hier si propre, était aujourd'hui grise et poisseuse. Le soleil lui chauffait les reins tandis qu'elle travaillait. Elle s'efforçait de ne penser à rien. Si elle avait pu creuser un trou et se cacher dedans, elle l'aurait fait. À défaut, elle décida de dépoter quelques géraniums qui attendaient le printemps dans le hangar. Ce n'était pas la saison, ils gèleraient. Tant pis, elle avait tout de même le droit de tuer quelques fleurs. Ourson, le jardinier de l'hôpital Berthollet, ne faisait jamais d'erreurs. « On dit que j'ai la main verte », lui avait-il confié un jour. « C'est faux. Mes mains n'ont rien à voir avec les plantes. Les fleurs poussent parce que je connais les règles et que je les respecte. N'importe quel imbécile, s'il s'applique à faire ce qu'on lui dit, peut reproduire les jardins de Versailles en miniature sur son balcon. Il n'y a aucun art là-dedans. Il faut s'en tenir à la loi de la nature. » Violette avait bien senti qu'il y avait une sagesse à retirer de ces paroles, une sorte de morale dont le jardinier espérait la faire profiter. Mais elle était restée bête, la paume contre le front, s'efforçant de feindre l'eurêka. Tout en bêchant son carré de terre, elle avait l'impression de saisir le sens qui lui avait échappé quelques mois plus tôt. Si l'on enfreint certaines lois, la destruction s'opère sans qu'on ait à lever le petit doigt. Dans ces cas-là, il n'y a ni victime ni coupable ; on accuse la malchance et voilà, on ne trouve rien à se reprocher. En enfonçant le paquet de racines emmêlées de terreau dans le creux qu'elle avait façonné à la main, elle songea qu'il était incroyablement facile de donner la mort. Elle pensa aussi que la mise en terre des géraniums n'était pas la seule erreur qu'elle eût commise en vingt-quatre heures.

11

Il y a un certain nombre d'inconvénients à n'être plus vivant. Il y a aussi des avantages. Sonia avait souvent pensé à ce qui se passerait après sa mort. Son âme s'élèverait au-dessus de son corps, elle serait happée par une grande lumière blanche et monterait droit au ciel. Elle avait prévu de veiller sur les siens. Sans attendre l'enterrement, elle irait faire un tour chez chacun de ses enfants pour vérifier que tout allait bien. Elle ferait en sorte de recueillir leurs larmes dans ses mains invisibles et d'effacer de leur front le chagrin de la perte. Il lui faudrait sans doute aussi planer quelque temps dans son ancienne maison, afin de la maintenir en ordre et d'y laisser flotter un souffle magique, comme un élixir d'oubli, qui aiderait Dan à supporter son absence.

Lorsqu'elle se retrouva dans la cuisine américaine du studio de Gabriel Schwartz, le bel étudiant de son mari, elle comprit que le Tout-Puissant avait d'autres projets pour elle. Si on lui avait dit que le paradis se composait d'un coin de paillasse carrelée, d'un évier en inox et d'un minifour coincés dans l'angle d'une petite pièce admirablement ordonnée où un jeune homme et une jeune femme parlaient à voix basse, elle n'aurait peut-être pas attendu si longtemps pour mourir. Au bout de quelques instants, elle dut se rendre à l'évidence : elle voyait l'intérieur des choses et des corps aussi nettement que leurs contours, elle percevait les pensées, les doutes et les rêves comme s'ils avaient parcouru son propre esprit. Elle se dit que c'était assez agréable de savoir enfin qui était Dieu, et fut aussitôt surprise de se rendre compte qu'elle était au-delà du blasphème. Elle aurait volontiers frappé dans ses mains, mais – premier point dans la série des inconvénients – elle n'en avait plus.

Gabriel et Harriet étaient assis par terre, dans la pénombre, à quelques mètres l'un de l'autre. Ils se regardaient sans parler, curieux comme des animaux qui n'ont jamais vu d'humains. Ils avaient bu beaucoup de café et Gabriel avait mal au cœur. Harriet voulait aller aux toilettes mais n'osait pas demander où elles se trouvaient. Elle changeait sans cesse de position dans l'espoir que sa vessie arrêterait de la faire souffrir. Ses seins aussi étaient douloureux, mais ça n'avait rien à voir. Ils étaient glacés par l'attente. Gabriel jouait avec ses mains. Ses doigts longs et agiles savaient tout réparer. Il aurait été le roi des scouts, si seulement son grand-père lui avait permis de se glisser dans les rangs de ces petits garçons en bermudas kaki qui arpentaient la ville, les mercredis après-midi, et qui avaient l'air si efficaces, même quand ils prenaient le métro, par grappes de huit, en compagnie de leur chef, un adolescent nettement moins efficace qui aurait volontiers mis la main aux fesses des filles s'il n'avait pas eu peur de donner le mauvais exemple et de mettre en péril sa vocation religieuse.

— Je construisais des avions quand j'étais petit, dit-il. On n'avait pas assez d'argent pour se payer des maquettes, alors j'utilisais les bouts de bois que je trouvais dans la rue.

— Moi, dit Harriet, je cousais des robes pour mes poupées, mais j'oubliais toujours de mettre un bouton ou une fermeture, alors, une fois que les vêtements étaient finis, on ne pouvait plus les enlever.

Elle se mit à rire et Gabriel se demanda si le tailleur qu'elle portait avait le même défaut.

— Il y avait une petite fille dans notre cour qui avait cinq Barbie, dit-il. Je lui avais fabriqué une maison à cinq étages, un étage pour chaque poupée. Mais elle n'avait pas voulu jouer avec parce qu'elle disait que les Barbie ne pouvaient pas habiter dans des immeubles. Elles avaient soit une caravane, soit une piscine.

— Tu étais amoureux d'elle ? demanda Harriet.

Gabriel hocha la tête plusieurs fois et Harriet sentit son cœur se serrer. Elle se leva et Gabriel lui indiqua une porte, près de la bibliothèque. Elle sourit en priant pour que la salle de bains fût bien isolée.

— Je vais faire la vaisselle, lui dit-il pour la rassurer.

Il se demanda en rinçant les tasses s'il était nécessaire d'en casser une. Harriet tardait, et il savait qu'un vacarme incongru suffirait peut-être à lui sauver la vie.

La porte de la salle de bains s'ouvrit à cet instant et il cessa de penser. Il traversa la pièce en trois enjambées, saisit les poignets d'Harriet, et l'embrassa longtemps. Au retour de l'école, il était toujours assoiffé, et quand son grand-père lui demandait pourquoi il n'avait pas bu avant de partir, il répondait qu'en classe il n'avait jamais soif. Debout devant l'évier, il vidait trois grands verres d'affilée et pensait à chaque fois qu'il venait d'échapper à la mort. C'était un professionnel de l'apnée, un as de la privation, mais, en sentant les mains d'Harriet se libérer des siennes pour remonter le long de son dos, il se demanda si l'abstinence avait un résultat aussi heureux dans tous les domaines. Il savait que les hommes d'expérience avaient sur les autres un avantage certain, et fut soudain assez ennuyé de comprendre qu'il aurait dû accorder plus de temps à la bagatelle. Il n'avait rien de commun avec Michel, le puceau aux joues roses, surnommé Guépard Furtif, qui surveillait les louveteaux de son quartier. Quelques filles l'avaient basculé sur des matelas de fortune, et il considérait, à juste titre, que ces aventures le plaçaient au-dessus de la foule des adolescents attardés. Son honneur était sauf : il avait pris soin de masquer son innocence par une arrogance factice qui le faisait passer pour un redoutable tombeur. Sonia, elle, n'était pas dupe. Une fois encore, elle se félicita d'avoir été transportée dans un paradis aussi édifiant, un au-delà dans lequel on apprenait que les beaux garçons effrontés n'ont peur de rien comme de l'amour.

Soudain, une étrange tristesse l'envahit. Elle sut qu'elle s'était perdue. Elle n'était plus la femme de Dan, ni la mère de ses enfants, elle n'était plus la pieuse Sonia, mais un ange sans cœur, doux mais sans cœur, qui n'avait plus les nerfs pour s'émouvoir. Elle se souvenait confusément que, si elle avait assisté à pareille scène de son vivant, elle se serait enfuie en se voilant la face. Elle s'efforça de garder cette sensation, s'y accrochant comme un chaton qui se noie et griffe les eaux mouvantes en espérant revenir à la surface. L'instant d'après, elle avait déjà oublié ce qu'était le souvenir et se penchait à l'oreille d'Harriet pour y souffler des mots d'amour.

— Tu es doux, tu es si doux, murmura Harriet dans le cou de Gabriel.

Il la serra dans ses bras et respira ses cheveux. Le parfum de fougère l'enivra et il se laissa tomber sur le sol, les lèvres entrouvertes, le souffle coupé, les mains tremblantes.

Harriet s'assit à côté de lui, dos au mur. Avait-elle dit une bêtise ?

— C'est un peu fort pour moi, lui dit-il.

Elle ne comprenait pas.

— Je n'ai pas l'habitude.

— Quel âge tu as ? demanda Harriet avec un accent à couper au couteau.

— Vingt-cinq ans, dit Gabriel en rougissant.

— Ouh lala, s'exclama Harriet. *You are so young*, ajouta-t-elle.

— Je sais, dit Gabriel, j'ai toujours été trop jeune.

— Mais ça ne veut rien dire, répondit Harriet.

— Si.

— Qu'est-ce que ça veut dire alors ?

Gabriel secoua la tête. Il ne voyait pas comment lui expliquer que sa place n'avait jamais été la bonne. On dit souvent que les vieillards finissent par retomber en

enfance et que l'hébétude du grand âge n'est qu'un ava-
tar de l'innocence puérile. Aux yeux de Gabriel, il en
allait tout autrement. Afin de devenir le digne compagnon de son grand-père, il avait dû mimer très tôt des
gestes que son corps aurait dû refuser d'accomplir. Il
s'était toujours bien tenu à table, et il avait appris à
nouer une cravate avant de savoir comment on fait les
enfants.

Harriet lui passa la main dans les cheveux, il en fut
affreusement agacé.

Sonia prit la main d'Harriet et conduisit la jeune
femme vers la porte. Elle lui suggéra de ne rien dire,
mais Harriet ne l'écouta pas.

— C'est pas grave, murmura-t-elle en prenant son sac
et son manteau.

Gabriel bondit et lui attrapa le col.

— Quoi, c'est pas grave ? hurla-t-il en imitant l'accent
d'Harriet. Qu'est-ce qui n'est pas grave ? Tu ne crois pas
que tu t'es trompée de scène ?

Harriet ne bougeait pas, terrifiée.

— C'est pas grave, reprit-il d'une voix plus calme mais
sans desserrer son étreinte, c'est ce qu'on dit aux impuis-
sants, ma chère. C'est ce que tu as dû dire des centaines
de fois aux types bedonnants de cinquante-cinq ans qui
ont un gros portefeuille et un mulot mort-né à la place
de la queue. Les types comme eux adorent les filles
comme toi. C'est pas vrai ? Et tu le leur rends bien, c'est
pas vrai ?

Harriet pleurait, mais elle était heureuse, elle allait
avoir ce qu'elle voulait.

Gabriel vérifia que son tailleur se déboutonnait normalement. La fenêtre de la cuisine claqua. Sonia s'envola en se disant que les femmes modernes n'étaient pas si modernes que ça.

Lorsqu'à midi Hortchak vint frapper à la porte de Violette, personne ne répondit. Il fit le tour de la maison pour regarder par la fenêtre. Que voulait-il vérifier ? Elle n'était pas là. Il se passa les mains sur le visage et sentit les larmes lui piquer les yeux. Il pensa à Dan, assis dans le salon face à une tasse de thé. Son ami avait pris un morceau de sucre pour le coincer entre ses dents de devant.

« Tu veux que je reste avec toi ? avait demandé Émile.

– Oui, avait dit Jabrowski, le sucre toujours serré entre les incisives. Je vais attendre le matin pour téléphoner aux enfants. »

Il ne pouvait articuler, et Émile, mettant la main en cornet derrière son oreille, avait dit « Comment ? »

Dan avait éclaté de rire et le carré blanc avait fondu entre ses lèvres. Ensuite, il avait pleuré quelques minutes en buvant son breuvage brûlant.

À sept heures, il avait commencé à appeler ses enfants, par ordre d'âge. Émile avait pensé que, plus on a d'enfants, plus la vie est triste, mais au sixième appel, Jabrowski avait semblé apaisé.

« Ils l'ont bien pris », avait-il dit.

Le cœur d'Émile s'était serré.

« Irvin vient tout de suite. Nitka file directement à l'aéroport. Je lui ai dit de laisser son mari et ses enfants en dehors de ça, mais John veut absolument venir. Il a même tenu à me dire au téléphone qu'il était déjà avec moi en pensée. Les obèses sont des gens très sensibles. Tu as remarqué ? »

Émile sourit, mal à l'aise. Il ne comprenait pas de qui parlait Dan. Il s'était senti perdu et avait malgré tout hoché la tête, convaincu qu'en revanche, les maigres étaient des sans-cœur. Lui-même, qui n'avait pas un poil de graisse, aurait été bien incapable de dire quoi que ce soit d'aussi rassurant. Il n'avait même pas été fichu de prendre son ami par l'épaule pour le serrer contre lui.

« Je vais te laisser », avait-il murmuré lorsque Irvin avait sonné à la porte.

Le grand jeune homme barbu, dont les yeux étaient exactement semblables à ceux de Sonia, l'avait à peine vu. Il s'était précipité vers son père pour l'embrasser. Émile les avait laissés à leur étreinte, sans dire au revoir, gêné, jaloux, furieux.

Violette, écrivit-il en tête d'une page blanche qu'il avait tirée du tiroir de son bureau.

Violette. Je n'écris jamais. Je n'ai pas l'habitude. Je n'aime pas ça et je ne suis pas sûr que j'y arriverai. Mais il faut que je vous parle et il n'y a pas d'autre moyen. Je suis passé chez vous et vous n'étiez pas là. J'avoue que je vous en ai voulu. Oserais-je vous dire que j'avais dans l'idée de poser ma tête sur vos genoux pour que vous me consoliez ? Vous êtes bien une consolatrice, je ne me suis pas trompé. N'est-ce pas ?

Cette nuit, Sonia, la femme de Jabrowski, est morte.

Nous l'avons découverte ensemble. Nous étions saouls. Aussi étrange que cela puisse paraître, je n'avais jamais vu de cadavre auparavant. D'ailleurs, le mot cadavre *me semble soudain horriblement inapproprié. Avant, j'utilisais ce mot sans y penser parce que je croyais — quand on ne réfléchit pas, on croit des tas de choses idiotes — qu'une fois mort, le corps n'est plus un corps. C'est faux. Sonia était exactement Sonia et c'est pour ça que j'ai pleuré. C'était affreusement injuste que sa bouche, qui était encore rose, ne puisse plus parler. Je pense à votre bouche et, bien que cela vous semble sans doute déplacé, j'en suis profondément ému.*

Je ne peux pas dire qu'en veillant la femme de mon ami avec mon ami j'aie compris quoi que ce soit. J'aimerais pouvoir le dire, mais ce n'est pas vrai. J'ai passé cinq heures terrifiantes à me rendre compte que j'étais un bon à rien. De ce genre d'expérience, on ne sort pas grandi. C'était avant. Quand nous marchions dans la rue, lui et moi, saouls comme des cochons. Il faisait bon vivre comme jamais. Pourtant, j'étais si malheureux que j'en serais mort, si la mort n'était pas aussi sérieuse et simple. Je vous ai été infidèle. J'ai pensé à une autre femme. Je ne puis vous dire si c'est à cause de cette femme que j'étais malheureux ou si c'est grâce à elle que la vie semblait si douce.

J'ai l'impression de perdre peu à peu toutes mes facultés. Je ne plaisante pas. Depuis quelques jours et même quelques semaines, je suis atteint d'une sorte de « maladie dégénérescente ». J'ignore ce qu'elle cherche à anéantir et si l'issue en sera fatale. Je vous avoue que je crains terriblement les maux qui font retomber les vieillards en enfance. Je rougis à chaque fois que quelqu'un évoque cette question. Je ne

sais pourquoi je me sens à ce point concerné. J'ai peur. J'ai
peur de tellement de choses que je ne sais par où commencer.
En y réfléchissant un peu, je crois que, quelle que soit la
forme que la menace puisse prendre, la raison profonde est
toujours la même. Je crains la punition. C'est un affreux
cliché, n'est-ce pas ? Le vieux jouisseur qui hésite entre la
crise mystique et le démon de midi. Je n'apprécie pas énor-
mément d'être aussi ordinaire, et je me rends bien compte
que ce n'est pas non plus le meilleur moyen pour vous
séduire. Mais comment vous séduirais-je ? Il me semble que
vous appartenez à une espèce à part. Je ne m'imagine pas
en train de vous parler de vos yeux, de votre peau, de vos
petits poignets cassants. Je ne m'imagine pas non plus fai-
sant un numéro de savant distrait, incroyablement brillant
mais si adorablement rêveur et maladroit. (J'ai toujours été
très habile de mes mains et j'ai une faculté de concentration
hors du commun.) Je n'ai aucune idée de ce qu'il faut faire
pour vous plaire. Peut-être êtes-vous comme les enfants, si
faciles à séduire pour peu que l'on trouve le bon moyen,
mais si impitoyables avec ceux qui se perdent en vaines
tentatives. Je ne sais que vous dire. Vous me manquez. Il
n'y a rien d'autre à ajouter. Vous me manquez. Vous me
manquez d'autant plus que je ne vous aurai jamais, parce
que j'ai peur de vous avoir, parce que je suis incroyablement
faible en ce moment, parce que je vous écris une lettre
d'amour en vous parlant d'une autre femme que j'ai aimée,
parce que je sais, en écrivant ces mots, qu'il va sans doute
falloir que je parte à sa recherche. Peut-être est-elle morte,
mais le petit garçon élevé par son grand-père m'attend quel-
que part. Vous me manquez, Violette. Je n'ose pas penser à

*ce qui serait arrivé si vous aviez été là lorsque j'ai frappé
chez vous ce matin.*

— Ah ! Violette, Reine-des-prés, s'écria le directeur du
personnel de Fournier & Charmette en voyant entrer
son ancienne employée. Vous revenez avec le printemps.

Il jeta un coup d'œil par la fenêtre sur le ciel bleu
layette et sourit de toutes ses dents.

— Vous finissez toujours par revenir, ajouta-t-il après
l'avoir priée de s'asseoir d'un geste de la main. Vous, les
femmes, comme dit la chanson. Alors, cette mauvaise
hépatite, envolée ? Vous avez l'air en pleine forme.

— Ce n'était pas une hépatite, dit Violette en le regardant droit dans les yeux.

Il s'avança vers elle et posa un doigt sur ses lèvres.

— Motus, murmura-t-il. J'ai tout arrangé.

Il vint se placer derrière sa chaise et posa les mains
sur le dossier.

— Il y a deux choses qui ne pardonnent pas dans l'entre-
prise, mademoiselle Opass, dit-il d'un ton mielleux : le
congé de maternité et... vous voyez ce que je veux dire.
Moi, je me suis toujours battu pour les femmes.

Il posa sa main droite sur l'épaule de Violette et lui
malaxa l'omoplate.

— Je vous comprends, mon petit. Je ne vous ai pas
relancée. Je n'ai pas bougé. J'ai fait mon travail. Je suis
un as du certificat médical. Vous nous avez manqué.
Cruellement. Patricia, qui vous a remplacée depuis votre
départ, n'est pas moitié aussi efficace que vous. Je ne

vous cacherai pas que j'ai dû jouer de mon influence pour que votre dossier reste en attente.

Il ricana et vint s'asseoir sur son bureau, face à Violette.

— Cigarette ? lui demanda-t-il en lui tendant son paquet.

Violette secoua la tête.

— Les temps sont durs, dit-il, la mine soudain assombrie. Les mutations, la concurrence. Je ne vais pas vous assommer avec des chiffres...

— Je prendrais bien un café, dit Violette pour gagner du temps.

Elle ne savait pas vraiment ce qu'elle était venue chercher dans les bureaux de son ancien employeur. Elle avait besoin de quelques minutes pour retrouver ses esprits.

— Vous avez changé, Violette... En bien, ajouta-t-il en se penchant vers elle. En très bien. Que puis-je faire pour vous ?

Violette n'en avait pas la moindre idée. Elle prit le gobelet qu'il lui tendait et le remercia en souriant.

— Écoutez-moi, dit-il. Écoutez-moi bien, miss Opass. J'ai une proposition à vous faire. Il faut que vous me juriez une discrétion totale. Je ne crois pas me tromper en vous disant que le poste que j'ai en tête pour vous est incroyablement stimulant. L'étranger... des territoires vierges à conquérir. La mondialisation est plus qu'une nécessité, c'est une mission, un sacerdoce... et je sais à qui je m'adresse...

Violette fit les yeux ronds.

— Vous me comprenez parfaitement. Qui a dit que la femme est l'avenir de l'homme ? Malraux, je crois. J'irai plus loin, voyez-vous, je dirai, moi, que la femme est l'avenir du monde. La femme est souple, la femme est forte, la femme est compétitive, c'est le maillon essentiel de notre nouvelle politique de communication. Violette ! s'exclama-t-il en faisant soudain volte-face, je n'irai pas par quatre chemins. Le tiers-monde de l'Europe, ça vous dit quelque chose ? Des ouvertures vers l'Est en déconfiture ?

Violette sourit.

— Dans un premier temps, reprit-il en ouvrant un dossier, nous vous proposons un poste polyvalent, secrétariat, gestion des ressources humaines, terrain, beaucoup de terrain.

— Je ne suis pas sûre de vouloir reprendre..., commença Violette.

— Vous avez absolument raison, dit-il sans la laisser finir. Il ne s'agit pas de reprendre, il s'agit de créer.

Pour conclure, il lâcha le mot magique, le « Sésame ouvre-toi », ce nom qui, même prononcé à la française, fit monter des larmes aux yeux de Violette. Pour lui, c'était quelque part à la frontière albanaise, un village de la côte grecque en pleine expansion, une future station balnéaire, le noyau possible d'un développement de leurs activités vers l'Asie Mineure...

— Tout ce que vous voudrez, dit-elle, sans le laisser finir. Je pars dès que vous m'envoyez mon billet.

— Je savais que je pouvais compter sur vous, dit-il en la conduisant vers la porte, une main sur son épaule et l'autre au creux de son bras. Je vous ai attendue, et j'ai eu raison. L'instinct, je ne marche qu'à ça, moi. Juste une chose, avant que nous nous quittions. Il l'immobilisa dans l'encadrement de la porte et pressa son genou contre la cuisse de Violette. C'est une création, et comme dans toute création – demandez à un Rimbaud ou à un Baudelaire –, il faut être prêt à faire des sacrifices. Je vais être franc avec vous, les salaires ne bénéficieront pas dans un premier temps de la prime accordée aux travailleurs à l'étranger. C'est dur, mais...

– Je m'en fiche, dit Violette. J'attends votre courrier.

Elle se libéra en lui donnant un léger coup de coude dans l'estomac et s'enfuit en courant vers l'ascenseur, le cœur battant, les genoux en coton. Son menton tremblait. Elle se sentait aussi ahurie et légère qu'une jeune fiancée. Karmin se souviendrait-il d'elle ? Elle sourit à cette idée. Cela aussi, dans le fond, lui était égal. Elle vit se dessiner, par-delà l'horizon des immeubles de bureaux, les collines roses et pelées qui tombaient dans la mer. Elle sentit sur son visage les brises chargées du parfum des fleurs d'oranger, elle se souvint des citrons pendus aux branches des arbres, brillant dans la nuit bleue comme des loupiotes. Des effluves d'épices mêlés aux relents de chairs rances envahirent ses narines, et des mots plus doux que ceux d'un jeune amant lui montèrent aux lèvres, des mots faits pour sa bouche et qu'elle n'aurait jamais dû cesser de prononcer. On appelait ça un retour à la case départ. Pour Violette, cela signifiait simplement que le jeu n'était pas fini. Un bon ange s'était enfin décidé à prendre soin d'elle.

Sonia guida la main du directeur des ressources humaines de Fournier & Charmette vers le contrat destiné à madame Opass Violette pour qu'il y appose sa signature, puis elle traversa le mur et se retrouva aux côtés d'un pigeon assez mal en point. Elle se permit de lui conseiller une petite migration vers le sud.

— Vous avez lu ma lettre ? demanda Émile en ouvrant la porte à sa voisine.

Violette secoua la tête.

Alors que faites-vous là ? pensa-t-il. Il n'aurait pas le courage de dire tout ce qu'il fallait qu'elle sache.

Violette tourna sur elle-même pour observer la pièce. Les grandes bibliothèques du sol au plafond, des tapis, un de soie, deux de laine, bleu et rouge, ocre et vert, le canapé en cuir qui ressemblait à un éléphant fatigué, des statuettes en bois avec des sexes dressés ou des seins pointus et menaçants, des cadres aux murs représentant des scènes de chasse, ou rien du tout. Le parquet sentait bon la cire.

— C'est très beau chez vous, dit Violette.

Émile sourit, mal à l'aise.

— Vous n'êtes pas au bureau ? demanda-t-elle.

— Vous le saviez.

— Comment ça ?

— Vous ne seriez pas là, insista-t-il, se surprenant à espérer qu'elle lui eût menti. Elle avait forcément lu la lettre, mais elle n'avait pas envie d'en parler.

— Je venais vous dire au revoir, dit-elle en s'asseyant au pied du sofa.

Elle poussa un soupir et laissa rouler sa tête contre le cuir. Elle continua à parler, les yeux fermés.

– J'ai dû sentir que vous étiez chez vous. Une sorte d'intuition. Ça faisait longtemps que je n'avais pas éprouvé ce genre de sentiment. L'impression que l'on sait ce qui se cache derrière les murs. On sait exactement ce qu'on doit faire, on n'a pas besoin de réfléchir. Vous voyez ce que je veux dire ?

– Oui, dit Émile en s'asseyant près d'elle.

Par exemple, pensa-t-il, je sens que je suis en train de vous perdre. Je n'ai pas besoin de réfléchir. Il commença par rire, puis se mit à pleurer.

Violette lui prit la main et la posa sur son cœur.

– Sonia est morte, dit-il, la voix brisée.

Elle le prit dans ses bras et le berça. Je lécherai tes blessures, chantonna-t-elle en silence. Sur ton front, ma salive, sur tes joues, ma langue, entièrement je te vernirai, patiemment je t'enroberai, la maman vache lèche son petit veau...

La porte, qui était restée entrouverte, claqua brutalement.

Je vous aime, Violette, pensa Hortchak. Elle leva la tête et frissonna. Ils feraient l'amour en pleurant. Si tendrement qu'ils s'endormiraient l'un dans l'autre.

– Je vais partir très vite, dit-elle.

– Pourquoi ? demanda Hortchak.

– C'est comme ça, murmura Violette. Je vous ai dit en entrant que j'avais de l'intuition. Je sais qu'il faut que je m'en aille tout de suite. J'aurais dû m'en aller depuis si longtemps. J'ai toujours pensé que j'étais prisonnière, je ne sais pas exactement de quoi. Je ne sais pas si vous connaissez ce sentiment. Rien ne semble nous retenir et pourtant on est paralysé, on s'imagine qu'il arrivera quelque chose de terrible si on bouge d'un millimètre.

Hortchak passa son bras autour des épaules de Violette et la serra contre lui.

— Je crois bien, reprit-elle après un moment, que j'attendais simplement qu'on me donne l'autorisation. J'ai toujours fait ce qu'on me disait de faire. Je n'ai pas l'habitude de prendre des décisions. Je suis si sage que j'aurais pu en mourir.

Elle se mit à rire et la gorge d'Émile se serra. Il regretta de ne pas lui avoir ordonné de l'épouser. Elle l'aurait fait, sagement. Il en aurait été aussitôt dégoûté. Comment pouvait-on être si soumise et si insaisissable ?

— Vous comprenez ce que je vous dis ? demanda-t-elle.

— Qu'est-ce que ça peut faire ? dit-il.

— Je ne sais pas. Je crois que ça me ferait plaisir. Vous êtes mon seul ami.

La bouche d'Émile se tordit.

— J'ai attendu pendant si longtemps, reprit Violette. Je ne saurais dire ce que j'attendais. Je crois que c'est pour ça que je ne pouvais pas partir. Je me disais qu'il fallait que je reste là, au cas où.

— Qu'est-ce que vous m'avez fait ? demanda Hortchak.

Violette haussa les épaules.

— Rien, répondit-elle. Je n'ai jamais rien fait à personne. Je me souviens d'un film où le héros disait : « Cette salope m'a ensorcelé. »

Hortchak éclata de rire.

— Ça devait être un chef-d'œuvre, dit-il.

— Je me souviens aussi — ne vous moquez pas de moi, ajouta-t-elle hâtivement — que je m'étais dit en entendant ça : « Mon Dieu, ce n'est pas à moi qu'il arriverait une chose pareille. » En fait, j'aurais adoré être une salope qui ensorcelle.

Elle ne rougit pas en disant ces mots, et Hortchak en fut tout déconcerté.

— Je ne crois pas, dit-il d'une voix hésitante, je n'ai jamais cru que c'étaient les salopes qui ensorcelaient les héros.

— Vous mentez, dit Violette en s'agenouillant près de lui. Tous les hommes pensent ça.

— Pas moi, dit Hortchak. Moi, j'ai toujours su que les seules capables d'ensorceler les hommes étaient...

Il se pencha vers elle et lui murmura à l'oreille « les sorcières ».

Violette sourit et se leva.

Dis-lui que tu l'aimes, pensa Hortchak. Je t'aime, je t'aime, je t'aime, pensa-t-il à chaque pas qu'elle faisait en reculant vers la porte.

— Prenez soin de vous, cria-t-elle depuis la rue.

Hortchak la regarda s'éloigner, les mains dans les poches. Elle l'avait épinglé au paillasson et il sentit qu'il ne pourrait plus bouger d'un millimètre.

Lorsque Harriet croisa Hortchak dans les couloirs de l'Institut, quelques heures plus tard, elle s'inquiéta de ne pas l'avoir vu le matin.

— Vous vous souvenez de Jabrowski ? lui dit-il.

Harriet ne répondit pas.

— Oui, bien sûr, que je suis bête, poursuivit-il aussitôt. Sa femme est décédée dans la nuit de samedi à dimanche. Je lui ai tenu compagnie.

Harriet porta les mains à ses joues et poussa un cri d'effroi.

— Mais elle était là l'autre soir, avec tout le monde, et elle avait l'air...

— Elle avait l'air assez mal, dit Hortchak.

— Oh, mon Dieu, c'est horrible, dit Harriet en pensant qu'elle n'aurait jamais dû coucher avec Gabriel. C'était dégoûtant de faire ça en même temps que quelqu'un mourait. Quoique, tout bien considéré, on ne pouvait faire autrement. Les gens n'arrêtaient pas de mourir, tout le temps et partout.

— Comment va-t-il ? demanda-t-elle, la tête légèrement penchée sur le côté.

— Bien, je crois, répondit Hortchak. Ses enfants sont avec lui.

— Elle est morte de quoi ?

— De... Je ne sais pas, dit-il. Je ne suis pas sûr.

— Un cancer ? proposa-t-elle.

— Oui, sûrement, dit Hortchak, excédé.

Qu'est-ce que ça pouvait bien lui faire ? Qu'est-ce que ça changeait ?

— Il faut absolument qu'on s'organise pour les funérailles, dit Harriet, retrouvant toute son efficacité. Quand ma mère est morte, ils ont fait une collecte dans son service et on a eu une limo-corbillard blanche avec des voiles, les gens croyaient que c'était un mariage.

— Ce n'est pas comme ça que l'on fait en France, coupa Émile sèchement. Les enterrements sont une affaire de famille. Vous feriez mieux de vous occuper de vos fesses, ajouta-t-il en lui serrant l'avant-bras.

Oh, God ! Ce que ces Français pouvaient être machos. Harriet en tremblait de la tête aux pieds. Elle n'aurait jamais cru que faire l'amour avec l'un d'eux pût être un sport aussi épuisant. Gabriel était si fort. Ils s'étaient couru après dans tout l'appartement, il l'avait plaquée au sol, portée à bout de bras. Il l'avait fait plier comme un forgeron, l'avait désarticulée puis remodelée, centimètre par centimètre, chaque grain de sa peau portait son empreinte. Dès qu'elle pensait à lui, un sourire lui montait aux lèvres et ses cuisses se mettaient à trembler. *Love of my life*, l'appelait-elle silencieusement. Elle s'imaginait que la vie ne serait plus jamais comme avant. Elle avait mal un peu partout et, dans son ivresse, elle pensait que ce mal lui faisait du bien, qu'elle était une sainte, une martyre de l'amour, que le corps ne savait mentir et que sa vie avait enfin un sens.

Gabriel avait une heure de retard sur son emploi du temps et se rongeait les ongles. Après le départ d'Harriet, il avait ouvert toutes les fenêtres et l'avait regardée s'éloigner dans la nuit bleutée piquée de lampadaires roses. Elle marchait en sautillant, et il ne comprenait pas d'où lui venait cette énergie. Il était épuisé et creux. Il lui semblait s'être perdu. Il regrettait de s'être confié à elle.

Il avait senti, pendant qu'il lui parlait, qu'elle avait la tête ailleurs. Elle demandait des caresses, des dizaines, des milliers de caresses, et ne cessait de l'embrasser partout. Elle était molle et bête. Il se surprit à la détester, et sa haine se retourna aussitôt contre lui-même. À sa manière rustre et bestiale, elle l'avait piégé. Elle lui avait aspiré le cerveau par la bouche et par la queue et s'était enfuie avec, le laissant seul – avant son arrivée, il n'avait été que solitaire. Elle avait pleuré deux fois et il avait dû la consoler, elle disait qu'elle ne savait plus qui elle était, alors, pour la calmer, il lui avait expliqué que lui non plus.

Il lui avait parlé longuement. Ta mère est morte, la mienne aussi. Mais moi, ce n'est pas tout, mon père a disparu, avant même ma naissance. *Oh, God, how sad.* Oui, *very sad.* Ça fait des années que je suis sur sa trace. *No ? Yes.* Je l'ai retrouvé il y a quelques mois. *How ?* C'est trop compliqué à expliquer. *You must go and see him.* J'y suis allé, je l'ai vu. Je lui ai même parlé. Il a dû être très bouleversé. Non, pas vraiment. Je ne lui ai rien dit. Je l'aurais peut-être fait, mais je t'ai vue et j'ai senti que ce n'était pas la peine. Ensuite, j'ai vu qu'il était amoureux d'une femme, une petite femme brune qui ressemble à une statue africaine. Il n'y avait pas de place pour moi. *You're wrong*, je suis sûre que c'est important pour lui, pour toi aussi, tu ne peux pas construire ta vie sur le mensonge, il faut être clair, il faut tout dire. Je ne sais pas. Dis-moi tout. Dis-moi encore. Embrasse-moi.

Elle s'en fiche, avait-il pensé. Tout le monde s'en fiche et tout le monde a raison. L'important, c'est la mère.

Pourtant, lorsque Hortchak avait posé la main sur l'épaule de Violette pour l'embrasser sur la joue, à son arrivée à la réception, Gabriel avait reconnu ce geste. Ils avaient presque la même taille. Leurs mains étaient identiques, leur façon aussi d'avoir toujours l'épaule gauche légèrement en avant de l'épaule droite. Il était surpris que personne ne les eût démasqués. Cette pauvre Harriet était une vraie tarte. Autant l'avouer, Gabriel avait espéré que son père le reconnaîtrait. C'était vingt-cinq ans trop tard, mais cela aurait suffi.

Il donna un coup de poing dans un oreiller et dérapa sur le visage de la jeune femme. Tu me fais mal, geignit-elle. Encore, murmura-t-elle en offrant son beau corps ambré. Tout ce que tu voudras, pensa Gabriel. Si Dieu descendait sur terre pour me demander ce que je désire le plus au monde, je ne saurais plus quoi lui répondre.

Il s'installa à son bureau et enclencha la cassette sur laquelle il avait enregistré la conversation entre Jabrowski et Hortchak à la fête de l'Institut. Les voix étaient brouillées par une multitude de parasites, mais il s'efforçait néanmoins de saisir dans les intonations d'Émile un signe, une sorte de message qui lui aurait été secrètement adressé. Il connaissait par cœur le déroulement de chacune des quinze bandes qui reposaient sur l'étagère, face à son bureau. Elles ne l'avaient jamais déçu. La moindre conversation recelait des trésors, pour peu que l'on prît la peine de l'écouter. Cette fois, la magie n'opérait pas. Les banalités échangées demeuraient obstinément stériles. Furieux, il alluma son ordinateur et se mit à taper.

Vous souvenez-vous de la noire Irina ? Savez-vous que Noir se dit Schwarz ? C'est bête, non ? Comprenez-vous le dépit de mon grand-père ? Avez-vous déjà vécu seul avec un enfant en bas âge qui réclame des jouets et que vous faites taire en lui tendant le gobelet en argent que sa maman avait reçu à sa naissance ? Désirez-vous connaître le nombre d'heures que le petit garçon a passé à compter les lattes de plancher qui séparaient la chambre du salon ?

Gabriel se relut et effaça tout. Jabrowski n'avait pas tort, il rédigeait comme un cochon, les mots ne lui seraient d'aucun secours. Il s'allongea sur le sol et se mit à compter les bouquets de plâtre qui formaient une guirlande autour du plafond. Il avait ainsi supporté de longues heures d'attente, meublées seulement de chiffres, la tête vide, le corps en suspens, ne connaissant plus ni la faim ni la soif. Il s'endormit, les tempes vrillées par la migraine, et fit d'affreux rêves de bonheur dans lesquels il jouait le rôle d'un homme heureux tenant la main d'une femme admirable.

Assise sur le bord de la baignoire, Violette regardait
le corps de la poupée d'argile se dissoudre dans des ruisseaux d'eau trouble. Au creux de son poing, la lettre
d'Émile semblait battre contre sa peau. Elle avait été si
résolue, si heureuse de savoir enfin ce qu'elle devait faire,
où elle devait aller. Le billet d'avion lui avait été porté
par coursier dans l'après-midi, et elle l'avait posé sur la
table de la cuisine, entre les deux sacs de voyage qu'elle
avait commencé à remplir. Elle hésitait, car elle ne savait
pas ce qu'elle trouverait de l'autre côté des mers, alors
qu'à cause de cette fichue lettre, elle était à présent certaine de ce qu'elle abandonnait. C'était pourtant simple,
il lui suffisait de savoir si elle aimait Hortchak. Elle
regretta que ce ne fût pas la saison des marguerites, un
petit effeuillage n'aurait pas été de trop. Et puis non, il
ne fallait pas se laisser embobiner. Elle n'était pas si bête.
Ce qu'il voulait, c'était un fils – il l'écrivait assez clairement. Elle n'accepterait pas d'être la vache qui lui ferait
son petit veau, elle avait déjà donné.

Ses joues brûlaient tandis que son estomac se nouait

et se dénouait sans cesse. Dans le fond, elle n'y croyait pas. D'un jet de douche, elle chassa les derniers grains de terre vers le siphon et fit glisser la lettre sous l'eau chaude qui jaillissait en fumant du pommeau. L'encre se rendit et les ruisseaux bleus succédèrent aux ruisseaux bruns. Le papier lui-même finit par se déliter. Lorsqu'il ne resta plus entre ses doigts que des fragments cotonneux et gorgés d'eau, Violette sentit qu'elle l'avait emporté. Elle ferma la maison, déposa les clés chez le notaire qui s'occupait depuis toujours des affaires de sa mère, et monta dans le bus avec ses deux énormes sacs. Lorsque les freins du véhicule lâchèrent leur soupir familier, elle ferma les yeux pour retenir ses larmes et, droite comme un I, se laissa emporter loin des petites rues bordées de pavillons.

Émile aurait aimé chanter avec les autres, mais il avait depuis trop longtemps oublié les paroles. La mélodie pourtant lui était familière, comme le sont celles des hymnes et des spots publicitaires. Cette musique qui accompagnait les morts faisait partie de sa vie. Il se tenait à droite de Dan, lequel n'arrêtait pas de lui donner des coups de coude. Hortchak ne comprenait pas si son ami lui reprochait d'être incapable d'entonner la prière, ou s'il tenait à lui faire remarquer quelque chose. Était-ce le morceau de persil accroché à la barbe du rabbin ? La sœur cadette de Sonia qui avait de si beaux yeux noirs ? La qualité du bois dans lequel avait été taillé le cercueil ? Dan se balançait d'avant en arrière, accompagné dans sa danse par ses fils, ses gendres, ses cousins, ses neveux.

Émile leva la tête, à la recherche d'un corps immobile. Hormis ceux des femmes, qui tremblotaient toutefois, secoués de sanglots ou transis par le froid, il ne put se rabattre que sur celui d'un mendiant qui se grattait la barbiche en attendant que le service s'achève pour pouvoir demander l'aumône, et ceux de deux grands jeunes gens qu'il surprit en train de se parler à l'oreille en souriant. Ils portaient des lunettes de soleil ; on aurait dit des touristes. Personne n'avait l'air choqué par leur présence, leur aspect, ou leur manque de gravité. Qui peuvent-ils être ? se demanda Hortchak. Parmi les adolescents dociles qui mimaient l'attitude de leurs pères, plusieurs priaient surtout pour qu'on ne s'éternise pas devant la tombe et que le rabbin ne leur fasse pas rater leur rendez-vous ou leur séance de cinéma. Ils prenaient, malgré tout, la peine de jouer la comédie.

Une fois la prière achevée, le rabbin sortit de sa manche une feuille de papier pliée en quatre qui faillit s'envoler lorsqu'elle fut grande ouverte.

– *Ô Dieu, tu es mon Dieu, que je recherche avidement ; mon âme a soif de toi, mon être te désire passionnément, sur un sol aride, altéré, sans eau. Puissé-je donc te contempler dans le sanctuaire, voir ta puissance et ta gloire ! Car ta grâce vaut mieux que la vie : mes lèvres proclament tes louanges.*

De la sorte, je te bénirai ma vie durant, en invoquant ton nom je lèverai mes mains. Mon âme sera rassasiée comme de graisse et de moelle...

Hortchak se retourna pour faire taire d'un regard sévère les deux jeunes gens qui ricanaient. Il écouta le rabbin lire le psaume de David, poursuivre en faisant l'éloge de Sonia et retracer en quelques phrases ce qu'avait été sa vie. Il se surprit à envier la félicité de l'au-delà. Lui qui avait toujours refusé ce discours enjôleur et pernicieux qui cherche à convaincre les vivants que le trépas n'est qu'un passage se mit soudain à songer que la vie et la mort n'étaient que des degrés différents, des lignes parallèles dessinées sur un même plan. Il eut l'impression que Sonia était parmi eux, et, lorsqu'à la demande de Dan le rabbin lut un extrait du Cantique des Cantiques, il ne put s'empêcher de remuer les lèvres, priant sans doute pour que, de là où elle était, Sonia pût entendre ce dernier hommage.

– *Que tu es belle, mon amie, que tu es belle ! Tes yeux sont ceux d'une colombe à travers ton voile ; tes cheveux sont comme un troupeau de chèvres dévalant du mont de Galaad. Tes dents sont comme un troupeau de brebis, fraîchement tondues, qui remontent du bain, formant deux rangées parfaites, sans aucun vide. Tes lèvres sont comme un fil d'écarlate et ta bouche est charmante ; ta tempe est comme une tranche de grenade, à travers ton voile. Ton cou est comme la tour de David, bâtie pour des trophées d'armes : mille boucliers y sont suspendus, tous écus de héros ! Tes deux seins sont comme deux faons, jumeaux d'une biche qui paissent parmi les roses.*

Dan donna à son ami un coup de coude plus violent que les précédents et, ne sachant que faire, Émile lui donna un léger coup de pied dans la cheville. Dan hocha la tête et Hortchak crut le voir sourire. Le rabbin leur disait combien Sonia aurait été heureuse de voir tous ses enfants réunis, ses enfants qui étaient si beaux et si savants. Ensuite, il leur parla de la merveilleuse épouse qu'elle avait été, de son courage face à la mort, de sa confiance jamais altérée en l'Éternel. Hortchak commençait à s'ennuyer. Lorsqu'il vit du coin de l'œil un des types à lunettes bâiller à s'en décrocher la mâchoire, il ne sut comment réagir. Il avait toujours été très sensible à la contagion, maladie, fou rire, bâillement, il était incapable de résister. Il sentit son palais se soulever, sa langue s'affaisser. C'était intolérable, il fallait absolument trouver un moyen d'enrayer cette mécanique. Il était au premier rang et le rabbin le regardait droit dans les yeux. Ce fut Dan qui le sauva. D'un nouveau coup de coude qui coupa le souffle à son voisin, il fit s'envoler toute trace de lassitude. Hortchak eut une espèce de sourire, et le rabbin, qui crut lire dans ses yeux une étincelle de compréhension, lui fit un signe mystérieux. C'était un petit vieux tout sec qui parlait en roulant les « r » et faisait fréquemment claquer sa langue contre son palais pour souligner ses propos. Il était joyeux et plein d'humour. À l'écouter, à le voir, on aurait presque pu oublier qu'il s'agissait d'un enterrement. Il en était d'ailleurs conscient, et avait expliqué à son auditoire que, tandis que les proches de la défunte pleuraient la mort d'un corps, lui se réjouissait de l'entrée d'une nouvelle âme au royaume des cieux.

– Ce que Dieu a donné, il le reprend, dit-il avec un demi-sourire.

Hortchak pensa qu'un rabbin est une sorte de guichetier à la banque du Seigneur.

— Pour finir, dit le rabbin — Émile crut percevoir un soupir de soulagement dans l'assemblée —, je me permettrai de vous raconter une petite anecdote au sujet de notre bien-aimée sœur. Quand j'ai connu Sonia, elle avait six ans. Nous habitions la même rue. Moi, j'étais déjà un jeune homme et j'étudiais sans relâche. Chaque fois que je passais près d'elle en rentrant chez mes parents, elle tirait sur mon manteau et partait se cacher. Quand elle est devenue jeune fille, elle a cessé ce jeu, et je peux vous avouer aujourd'hui que je l'ai regretté pendant des années. Sonia avait ce don, ce don de bonheur, ce don de joie, qui n'est accordé qu'à ceux qui vivent en paix avec le Seigneur. Lorsque Sonia vous taquinait, on entendait le chant des anges dans son rire. C'était une merveilleuse petite fille, aux joues rouges et aux yeux mutins.

Émile reçut une bourrade dans les côtes et, se penchant légèrement pour comprendre quelle mouche piquait Dan, il vit deux grosses larmes tomber de ses joues et s'écraser sur le gravier.

— Et puis le temps a passé. Sonia a déménagé. Je suis devenu rabbin. J'ai su qu'elle s'était mariée. Enfin, on m'a annoncé que le jeune couple s'était installé près de la synagogue. J'ai attendu sa visite. Je savais qu'elle finirait par venir. Dieu fasse taire les mauvaises langues, je n'étais pas amoureux d'elle. J'avais simplement envie de la revoir, savoir quel genre de femme elle était devenue. Un matin, elle s'est présentée. C'était la même, les joues roses, les yeux noirs regardant dans les coins, même silhouette, même sourire. Elle s'est assise devant moi et a bredouillé. Elle ne savait comment s'exprimer, elle tournait autour du pot. De mon côté, je commençais à m'inquiéter, je me disais qu'elle avait peut-être mal tourné. J'en ai vu, des jeunes épouses toutes fringantes venir demander le divorce en faisant des tas de chichis. Pas Sonia. Quand elle a enfin pu parler, elle m'a simplement dit... c'est affreux de ne pouvoir retrouver les termes exacts, j'entends pourtant sa voix, aussi distinctement que si elle était parmi nous... Elle m'a dit qu'elle aimait trop son mari, que si elle le pouvait, elle resterait collée à lui jour et nuit. J'ai souri intérieurement, mais je n'ai rien laissé paraître. Je l'ai regardée d'un œil sévère et je l'ai prise par le bras pour la conduire à la porte en lui disant que j'avais d'autres chats à fouetter. Je la taquinais à mon tour. Je l'ai mise dehors en lui expliquant que si c'était une fessée qu'elle cherchait, elle n'avait qu'à demander à son mari. Alors, je te le demande à présent, à toi, Dan Jabrowski, son époux, est-ce qu'elle l'a eue, sa fessée ?

Dan éclata en sanglots et le rabbin sourit en levant les bras pour faire signe aux employés des pompes funèbres de descendre le corps. Émile se retourna et vit les deux chahuteurs à lunettes se diriger vers le cercueil.

En file indienne, la famille et les amis attendaient de pouvoir présenter leurs condoléances aux enfants et à l'époux de Sonia. On piétinait, on écrasait le talon de celui qui était devant et on s'excusait en souriant. Les vieilles prenaient les bras des jeunes et maudissaient leurs varices, les cailloux qui s'étaient glissés dans leurs souliers et le vent qui faisait voler leurs fichus. Hortchak suivait

le flot et penchait la tête sur le côté pour essayer d'apercevoir son ami. Il aurait aimé avoir quelque chose à lui
dire, quelque chose de bien, une phrase très digne qui
lui aurait donné du courage. Il était jaloux de ce rabbin
aux yeux malicieux qui savait si bien pétrir les âmes. Il
n'y avait plus qu'une dizaine de personnes et Émile
entendait à présent les murmures qui s'échangeaient à
quelques mètres de lui. Lorsqu'il arriva face à Dan, il
ouvrit la bouche, mais son ami ne lui laissa pas le temps
de parler. Il le serra contre sa poitrine, frottant sa barbe
de trois jours dans le cou d'Émile. Alors qu'il l'étreignait,
son corps fut soudain traversé par un sanglot et ses
coudes s'écartèrent de ses côtes, comme les ailes d'une
volaille. Hortchak lui prit les bras et les serra fort. Dan
sourit à Émile avant de lui glisser à l'oreille :

— N'oublie pas de te laver les mains à la fontaine avant
de partir, il ne faut pas que tu rapportes la poussière du
cimetière dans ta maison.

Hortchak serra la main de tous les jeunes gens aux
yeux rouges, de toutes les jeunes femmes sans maquillage, et fila d'un pas leste vers la sortie.

Près de la fontaine, Gabriel l'attendait. Hortchak
bouscula le jeune homme et s'excusa au passage. Il l'avait
déjà vu quelque part. Ce visage lui était incroyablement
familier. Quand l'eau s'arrêta de couler, il regarda ses
mains ruisselantes, se demandant pourquoi on n'avait
pas prévu un torchon. Il allait les essuyer sur son pantalon quand Gabriel l'interrompit.

— Il ne faut pas, dit-il. Elles vont sécher toutes seules. C'est comme ça.

Hortchak leva les yeux et sourit. Il connaissait cette voix.

— Que faites-vous là ? demanda-t-il à Gabriel. Vous êtes plutôt en retard, non ?

— Je ne crois pas, dit calmement Gabriel.

— Vous avez assisté à l'enterrement ? dit Émile. Il ne me semble pas vous avoir vu.

— De loin, répondit Gabriel. Je ne la connaissais pas bien.

— Moi non plus, dit Hortchak. Je crois que c'était une femme exceptionnelle.

— Vous n'avez rien d'autre à dire ? fit Gabriel en ricanant.

— Je vous en prie.

Hortchak contourna le jeune homme et pressa le pas sans se retourner. Il entendit le gravier crisser dans son dos.

— Attendez, dit Gabriel. Pardonnez-moi. Attendez.

— Qu'y a-t-il à la fin ? demanda Hortchak, excédé. Qu'est-ce que vous me voulez ? Vous croyez vraiment que c'est l'endroit pour parler affaires ? Vous êtes très brillant. Je vous promets que vous obtiendrez tout ce que vous voudrez, mais, je vous en supplie, laissez-moi tranquille.

— Non, dit Gabriel. Il faut qu'on aille au café.

Émile marchait aussi vite qu'il le pouvait, mais il commençait déjà à s'essouffler, tandis que le grand jeune homme, bondissant sur ses pieds agiles, sautillait autour de lui.

— Je ne vois pas pourquoi j'irais au café avec vous, dit Hortchak, hors d'haleine. Vous commencez à me casser les pieds, avec votre arrivisme. Vous ne voyez pas que vos dents traînent par terre ? C'est indécent, je vous assure.

Gabriel saisit le bras d'Émile et l'obligea à s'arrêter.

— Il faut toujours aller au café en sortant d'un cimetière. Il ne faut pas que la semelle de vos chaussures rapporte chez vous la poussière de la mort.

— Qu'est-ce que c'est que ces histoires ? s'écria Hortchak. Lâchez-moi ou j'appelle quelqu'un. Vous êtes malade, mon garçon.

— Regardez-moi, demanda Gabriel. Regardez-moi.

Hortchak poussa un soupir et leva les yeux vers le visage de Gabriel. Ses prunelles turquoise, ses boucles blondes, son nez si droit, sa lèvre supérieure un peu molle, son épaule droite légèrement en avant de son épaule gauche.

Sonia quitta ses enfants, emportant avec elle une poignée de terre fraîche. Arrivée près d'Émile, elle profita d'un coup de vent pour lui lancer la poussière dans les yeux. Les larmes coulèrent sur ses joues et il leva lentement la main pour toucher le visage de Gabriel.

— Vous êtes si jeune, dit-il.

Gabriel lui fit un signe de tête et Hortchak le suivit jusqu'au café.

Sonia se demanda si elle devait intervenir. Elle aurait

aimé pouvoir prendre conseil, suivre les ordres de son supérieur hiérarchique, mais, chose étrange, le Tout-Puissant ne s'était pas encore manifesté, pas ouvertement en tout cas. Planant entre les tasses, elle regardait les deux hommes, face à face. Ils ne parlaient pas. De temps à autre, leurs regards se croisaient. Hortchak avait horriblement mal au ventre. Gabriel avait des palpitations. Il repensait à Harriet qui était arrivée chez lui le matin même avec ses valises. Il ne lui avait rien dit. Il ne lui avait pas montré où ranger ses affaires. Elle avait refermé la porte derrière elle et s'était mise à l'ouvrage. Il avait continué son travail, la tête baissée sur le clavier de son ordinateur. Il l'entendait ranger, trier, elle ne faisait pas plus de bruit que la souris qui avait habité plus d'un an dans la soupente de la salle de bains. Parfois, son parfum parvenait jusqu'à lui et il ne pouvait s'empêcher de fermer les yeux. Au bout d'un moment, le silence était revenu dans la pièce. Il s'était alors tourné vers elle et l'avait contemplée, assise à la table basse du salon, une pile de feuilles devant elle, un crayon rouge sur l'oreille, un stylo à la main.

« Tu es belle », lui avait-il dit.

« Toi aussi », avait-elle répondu.

Gabriel avait ri et s'était demandé si on pouvait aimer quelqu'un que l'on trouvait si ridicule.

« Tu es bête », avait-il ajouté, pour voir.

« Pas plus que toi », lui avait-elle répondu en se mettant à écrire.

Il avait regardé sa montre. Il faudrait qu'il attende encore une heure et quart avant de lui sauter dessus.

Hortchak était fatigué. Ses rotules le faisaient souffrir. Chacune de ses articulations semblait sur le point de céder. Il sentit la vieillesse monter en lui d'un coup. Ce n'était pas ce qu'il avait espéré. Il aurait aimé demeurer dans l'ivresse de la recherche, arpenter les rues en remontant le temps, jusqu'à ne plus sentir son corps, se promener avec, en poche, un portrait d'Irina dessiné de mémoire. Il s'était imaginé le montrant à des inconnus, les badauds secouaient la tête, certains caressaient le papier, fermaient les paupières, et, durant un instant, Émile croyait les entendre dire : « Oui, je me souviens, la petite danseuse. » Il aurait pris un congé, aurait voyagé à travers le monde. Il aurait fini à Bangkok ou à New York, les semelles de ses souliers usées par le vagabondage, libre dans son exode.

— Je savais que tu existais, dit-il enfin à Gabriel. Je l'ai su très tôt. J'ai revu ta mère un jour, dans la rue. Il neigeait. Elle trébuchait sur ses talons. De dos, on n'aurait jamais cru qu'elle pouvait avoir un ventre si gros. J'ai eu si peur qu'elle se retourne, qu'elle me voie, que je suis parti en courant dans la direction opposée. Après, je n'y ai plus pensé. C'est affreux, non ?

— Je ne sais pas, dit Gabriel. Ce n'est pas à moi d'en juger. Je n'ai pas fait tellement d'efforts pour vous retrouver. C'était très facile. Tout est écrit. Il suffit de savoir lire.

— Tu es déçu ? demanda Hortchak. Comment me trouves-tu ? ajouta-t-il en détournant le regard.

— On se ressemble, dit Gabriel.

— Que veux-tu ? demanda Émile.

— Rien, dit Gabriel. J'ai appris à me contenter de ce que j'avais.

— Tu es marié ? Tu as des enfants ? demanda Émile.

Gabriel se leva et déposa de l'argent sur la table. Il sourit et fit un signe de la main à son vieux père. Hortchak aurait voulu se lever pour le retenir, mais il était brisé. En regardant les pièces de monnaie qui luisaient sur le plateau en formica, il sentit son cœur se serrer.

Lorsque Dan entra au bras de sa fille aînée, suivi de toute sa tribu, Émile lui fit un signe de la main.

— Je vous ai réservé la meilleure table, dit-il.

Les jeunes se mirent bien vite à parler, de tout et de rien, donnant des nouvelles, riant s'ils avaient envie de rire, pleurant comme ça venait. Émile et Dan restaient muets. Parfois, leurs regards se croisaient. La mort arrête le temps, on se retrouve au cimetière et on pense qu'on devrait plus souvent se promener parmi les arbres. Hortchak était perdu, son esprit fuyait en roue libre. Il observait les clients accoudés au comptoir et se demandait ce qu'ils faisaient là. Il avait l'impression de ne plus faire partie du monde. S'il pensait à Violette, il était rongé de remords, s'il pensait à Sonia, il était pétrifié d'effroi, s'il pensait à Gabriel, il sombrait dans la perplexité. Il ne savait plus où aller ni ce qu'il devait faire. Les couleurs lui semblaient trop vives, les sons discordants, le soleil l'aveuglait, la nausée lui retournait l'estomac. Il tenta de se rappeler le nom de l'organisme pour lequel Violette avait travaillé, Fourchette & Prunier, Charmette & Laurier, il lui écrirait, il partirait la rejoindre. Il aurait aimé que quelqu'un l'appelle, et, si Sonia avait élevé la voix, il n'aurait pas hésité à la suivre. Mais elle avait autre chose à faire.

Lorsque le grand-père de Gabriel fut tout à fait endormi, il ne fut pas difficile de faire tomber sa pipe encore incandescente dans la corbeille à papiers. Le feu prit lentement. Par la fenêtre entrouverte, un vent de printemps attisait les flammèches. Sonia visita le vieil homme en songe et lui dit qu'il allait mourir. Dans ses narines, elle enroula des rubans de fumée, elle serra sa gorge et déposa un baiser sur ses paupières. La nappe se consuma. Une braise tomba sur le tapis. Une fumée noire envahit le salon. Sonia fit voler un brandon jusque dans la chambre d'enfant d'Irina. Le matelas flamba joyeusement. Les animaux en peluche n'émirent pas un soupir. Les rideaux jetèrent un éclat doré par la fenêtre. La commode en bois de rose craqua en bavant son vernis. Les vêtements volèrent jusqu'au plafond, tournoyant dans la fournaise. Le carnet noir à liserés rouges, dans lequel Irina avait relaté son aventure avec Hortchak, fut aussitôt réduit en cendres. Quelle importance, Gabriel l'avait entièrement lu.

Sonia attendait que la pile de lettres cachée tout au fond du dernier tiroir succombât aux flammes. La vérité est toujours plus tenace, pensa-t-elle. Il faudrait pourtant que l'écriture ronde et rapide d'Irina ne laisse aucune trace. Certains secrets doivent périr avec leurs auteurs. Gabriel n'était pas le fils d'Émile. Il était né quelques mois trop tard. Quelques mois n'étaient rien en regard de l'éternité, Sonia était bien placée pour le savoir.

Les lettres étaient toutes adressées au directeur du cabaret qui employait Irina au moment de sa rencontre avec Hortchak. Dans la première, Irina, qui avait cessé de se produire sur scène depuis plus de deux ans, demandait des nouvelles de son ancien patron ; deux lettres plus tard, elle lui annonçait qu'il était le père de son enfant ; à la cinquième, elle commençait à lui demander de l'argent. Les dernières missives se réduisaient à des menaces de chantage. Le destinataire aurait eu tort de s'en inquiéter ; il faut une santé de fer pour mener ce genre de crime à bien, et Irina dépérissait depuis de longs mois.

Une flamme verte attaqua le ruban qui maintenait la liasse de papiers. Une fumée épaisse entoura le paquet incandescent, et ses âcres volutes enivrèrent Sonia. Elle allait être libérée. Bientôt, elle le sentait, elle pourrait se fondre à l'éther et commencer sa nouvelle vie, au gré des songes de son mari, dans les rêves de ses enfants. Personne n'aura été floué, pensa-t-elle pour se pardonner son dernier forfait d'ange protecteur. Le directeur du théâtre a eu deux enfants légitimes, qu'aurait-il fait d'un bâtard supplémentaire ? Et puis, Irina ne l'avait pas aimé, alors que si Émile était resté, si elle était parvenue à l'accrocher plus fermement à l'hameçon, elle lui aurait donné son cœur. Elle l'avait attendu plusieurs mois, puis le désir de vengeance l'avait emporté sur le mal d'amour. Les feuillets se consumaient lentement, boule de feu crépitante, battant comme un cœur au fond de la nuit. Les lattes du parquet se déchirèrent, le tuyau du gaz fut rongé en un instant et la porte d'entrée fut soufflée par l'explosion.

Les voisins sortirent de leurs lits et se précipitèrent dans la rue. Les chats du quartier délaissèrent les poubelles pour admirer le spectacle, leurs gros yeux verts et plats pleins de flammes et de stupeur. Harriet frissonna dans les bras de Gabriel. Hortchak s'endormit en renversant son whisky sur le tapis. Jabrowski ne bougea pas, bienheureux dans ses songes, épuisé par le chagrin. Violette regarda par le hublot de l'avion et crut voir une énorme fleur rouge plantée entre les toits sombres. Elle cligna des yeux. L'instant d'après, il n'y avait plus rien, que des champs noirs et bruns à perte de vue, les perles orange et argentées des rares fenêtres encore illuminées. S'enfonçant dans le ciel sans fin, elle perdit doucement conscience, les joues rosies par le souvenir. De ses lèvres s'échappa un nom que Sonia cueillit au vol avant de filer vers l'au-delà.

Chacun pense avoir un secret. Pour certains, c'est une douleur, pour d'autres, une joie. C'est toutefois sans importance, car, un jour ou l'autre, une main attentive, tombée doucement du ciel, les moissonnera.

S.N. FIRMIN-DIDOT AU MESNIL-SUR-L'ESTRÉE
DÉPÔT LÉGAL : AVRIL 1997. N° 31559 (38092).

Collection Points